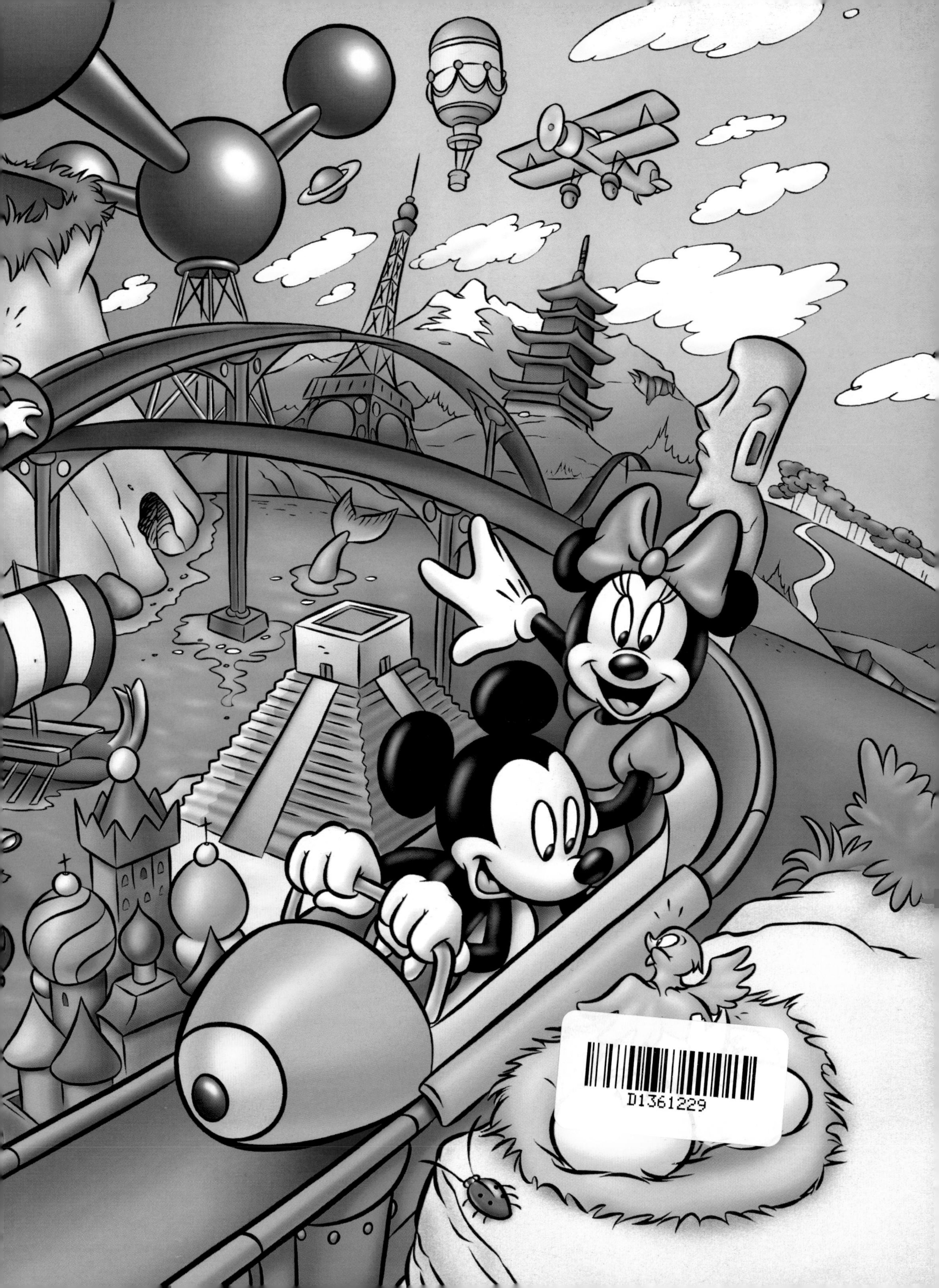

ISBN collection : 2-84634-108-7
ISBN ouvrage : 2-84634-131-1

Imprimé et relié en France, par Pollina. N° L82876
Dépôt légal : février 2001

Design et documentation
Marshall Edition Development Limited

Le Monde Merveilleux de la Connaissance

LES TRANSPORTS

Comment utiliser ton encyclopédie

Avec Mickey, Minnie, Donald, Daisy, Dingo et Pluto, tu vas embarquer pour la grande aventure de la connaissance. En chemin, tu découvriras le secret des sciences, de la nature, du monde où nous vivons, du passé et bien plus encore. Attache bien ta ceinture, attention au départ !

Regarde à cet endroit pour trouver le résumé du sujet traité sur cette page.

Les légendes t'expliquent *ce qui se passe dans les images.*

En observant les images, *tu peux apprendre beaucoup, avant même d'avoir lu le texte.*

Les oreilles de Mickey *te font découvrir le sujet principal.*

Recherche les pages spéciales où Mickey examine de plus près les idées importantes.

Les Dinosaures

À la découverte des dinosaures

Personne n'a jamais vu un dinosaure vivant, mais nous savons pourtant qu'ils ont existé grâce aux nombreux fossiles qui ont été retrouvés un peu partout dans le monde.

Les fossiles sont les restes des plantes et des animaux disparus depuis longtemps et préservés dans la pierre. Les fossiles de dinosaures les plus répandus sont les os et les dents, mais on a également retrouvé des empreintes d'excréments, d'œufs, de traces de pattes et de relief de peau. La plupart des fossiles sont découverts par des experts nommés paléontologues, des scientifiques qui étudient la vie préhistorique. Ils rassemblent les os et tous les restes afin d'apprendre le plus de choses possible sur les dinosaures.

Excréments de dinosaures fossilisés.

Empreintes de peau de dinosaure.

Des fouilles pour retrouver des os

Les os de dinosaures fossiles doivent être extraits de la roche avec beaucoup de précaution, et avec des outils variés : des burins, par exemple, mais aussi des brosses souples. Quand on trouve des os très grands dans un bloc de pierre, il faut les envelopper dans de la toile et du plâtre pour les protéger pendant le transport.

Chaque os est photographié avant d'être retiré de la roche.

Les os de grande taille, enveloppés dans du plâtre, doivent être manipulés avec beaucoup de précaution.

Des ouvriers enveloppent un os dans de la toile et du plâtre.

Pour parvenir à exhumer des fossiles, les fouilles peuvent durer des semaines et les scientifiques installent le plus souvent un campement sur le site.

Les os enveloppés sont prêts à être chargés sur des camions.

Un expert en fossiles est en train de ciseler la roche au burin.

La position de chaque os est reportée sur une carte du site.

Des archéologues en train d'extraire des restes de dinosaure.

Du dinosaure au fossile

1 Quand le dinosaure meurt, sa chair se putréfie et disparaît. Il ne reste plus que les os.

2 Les os sont peu à peu recouverts par des couches de boue et de sable.

3 En quelques millions d'années, la boue, le sable et les os se transforment en roche.

4 Les couches de roche sont usées par le vent et la pluie et les os fossilisés, très durs, finissent par apparaître.

À la découverte des dinosaures

Reconstitution du squelette

Dans un laboratoire ou un musée, les spécialistes finissent de détacher l'os de la pierre. Ils reconstituent autant que possible le squelette. Grâce aux marques laissées sur les os par les muscles, ils parviennent à s'approcher le plus possible de la réalité.

Préparation de la reconstitution du squelette.

Toi aussi tu peux trouver des fossiles

Tout le monde peut découvrir des fossiles, bien qu'ils ne soient pas tous de dinosaures. Cherche sur la plage ou aux endroits où la roche est sédimentaire, comme le grès ou le schiste. Il te faut des outils simples : un marteau et un burin, par exemple. Demande à un adulte de t'aider à tailler la roche, tu pourrais découvrir de superbes fossiles à l'intérieur.

Pour en savoir plus
La Terre : fossiles
L'Histoire ancienne : fouilles archéologiques

18 19

Un monde en pleine tran…

De grands changemen… dans le monde à la périod… à 65 millions d'années ava… Le territoire se divise pour… nouveaux continents. De n… de dinosaures herbivores a… et les dinosaures carnivore… également très nombreux.

Les pages numérotées de Mickey *t'aident à trouver ce que tu cherches. N'oublie pas qu'il existe aussi un glossaire et un index à la fin de chaque volume.*

Les chiffres *te guident pas à pas dans le déroulement d'un événement.*

Mickey t'indique quelles informations complémentaires tu dois rechercher dans les autres volumes de ton encyclopédie.

POUR EN SAVOIR PLUS
LA TERRE : les fossiles
L'HISTOIRE ANCIENNE : les fouilles archéologiques

C'EST INCROYABLE !

★ Les ailes déployées du *pteranodon* mesuraient environ 7 m d'un bout à l'autre. C'est à peu près deux fois plus large qu'une voiture de taille moyenne.

Tes personnages préférés connaissent des détails incroyables qui étonneront tes amis.

UN MONDE EN PLEINE TRANSFORMATION

Le monde au crétacé
Terre · Mer peu profonde · Mer profonde

Le pteranodon, *un reptile volant.*

L'ichthyosaurus, *un reptile marin.*

L'ichthyornis, *un oiseau.*

Le tarbosaurus, *un grand dinosaure chasseur.*

UN CLIMAT CHANGEANT
Au début de la période crétacée, le climat était chaud en permanence, mais il y avait aussi, chaque année, des saisons humides et des saisons sèches.

C'EST INCROYABLE !
★ Les ailes déployées du *pteranodon* mesuraient environ 7 m d'un bout à l'autre. C'est à peu près deux fois plus large qu'une voiture de taille moyenne.

PLANTES À FLEURS
Les plantes à fleurs sont probablement apparues près de l'Équateur 120 millions d'années environ avant aujourd'hui. Les abeilles et d'autres insectes volants ont propagé leur pollen et bientôt des fleurs se sont mises à pousser partout. Les fougères et les cycas sont alors devenus beaucoup moins abondants.

Plantes à fleurs.

POUR EN SAVOIR PLUS
LES INSECTES ET ARAIGNÉES : abeilles
LA VIE VÉGÉTALE : plantes à fleurs

Les complices de Mickey font eux-mêmes quelques expériences.

***fenêtre couleur** met informations ortantes aleur.*

Sommaire

Introduction

Les transports

Au XIXe siècle, le moyen de locomotion le plus rapide était encore le cheval. Ensuite sont arrivés les trains et les voitures. Avec le temps, ils sont devenus plus rapides et plus confortables. À la même époque, on a remplacé les voiles des bateaux par des moteurs.

Pourtant, la plus grande aventure du transport, c'est la conquête des airs. Au début, il n'y avait que des ballons, emportés par le vent, puis les biplans sont apparus, bientôt suivis des élégants avions à réaction et du superbe Concorde, qui dépasse la vitesse du son.

L'automobile

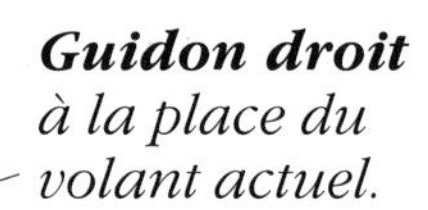

Guidon droit *à la place du volant actuel.*

La voiture à trois rou[es] de Karl Benz, 1885.

Le moteur faisait *tourner les roues p[ar] l'intermédiaire de chaînes, comme pour une bicyclette.*

Les premières voitures ont été construites il y a plus de 100 ans. Au début, ces drôles de véhicules roulaient très lentement sur les chemins de terre adaptés aux voitures à cheval. Certaines personnes détestaient ces « voitures sans chevaux », difficiles à démarrer, qui dégageaient des fumées noires, faisaient un vacarme d'enfer et tombaient sans cesse en panne. Mais plus rapide, plus fiable et moins chère, l'automobile s'est vite attiré les faveurs du public.

Le tricyle de Benz

En 1885, l'Allemand Karl Benz construisit une voiture à trois roues qui fonctionnait grâce à un moteur à essence. Ce fut la première voiture mise en vente pour le public, mais elle ne remporta que peu de succès. Avec une seule vitesse, elle roulait à une allure maximale de 12 km/heure.

Peugeot Bébé

Le Français Armand Peugeot fabriquait déjà des outils et des bicyclettes avant de se lancer dans la construction automobile. En 1889, il fabriqua un véhicule à vapeur et, deux ans plus tard, il construisait ses premiers véhicules à essence. La Peugeot Bébé, sortie en 1912, fut l'une de ses créations les plus populaires. Il en vendit plus de 3 000 en quatre ans.

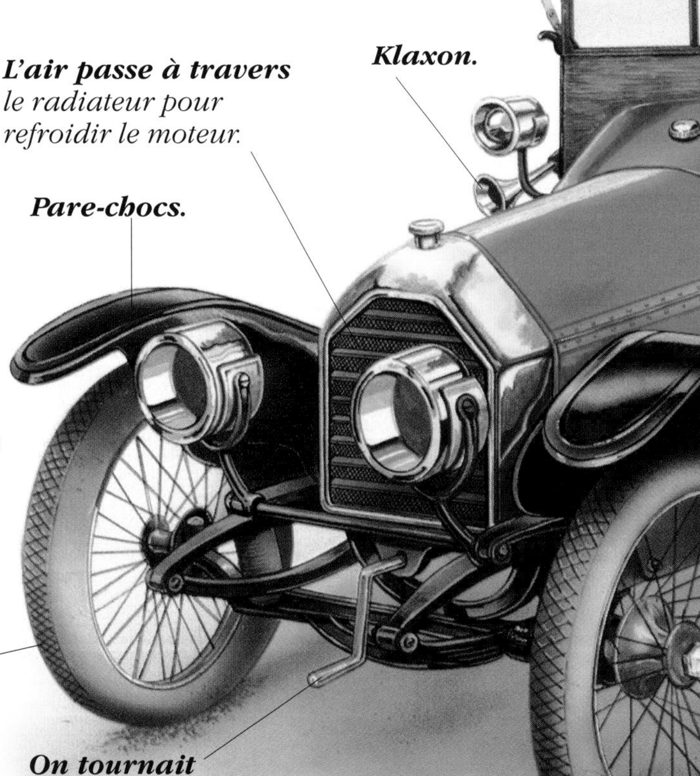

L'air passe à travers *le radiateur pour refroidir le moteur.*

Klaxon.

Pare-chocs.

Les pneus à air comprimé, *fabriqués par les frères Michelin, ont été utilisés sur les voitures françaises dès 1895.*

On tournait la manivelle *pour démarrer le moteur.*

Peugeot Bébé, 1912.

LA PRODUCTION DE SÉRIE

La Ford Model-T était fiable et facile à conduire. De 1908 à 1927, on en vendit 15 millions. Les Model-T étaient fabriquées sur une chaîne de montage. Chaque ouvrier ajoutait une seule pièce à l'automobile qui défilait devant lui sur un tapis roulant. C'est grâce à ce procédé qu'elle était moins chère que les autres.

La 15 millionième Model-T, 1927.

LA VOITURE DE LUXE

L'ingénieur anglais Henry Royce rencontra le grand amateur d'automobile Charles Rolls en 1904. Trois ans plus tard, leur société Rolls-Royce lança la Silver Ghost, une voiture de luxe très chère. Elle fut vite connue comme la « plus belle voiture du monde ».

La Silver Ghost, de Rolls-Royce, vers 1910.

Les roues en acier *pouvaient se démonter et se remplacer lorsqu'un pneu crevait sur les chemins pierreux.*

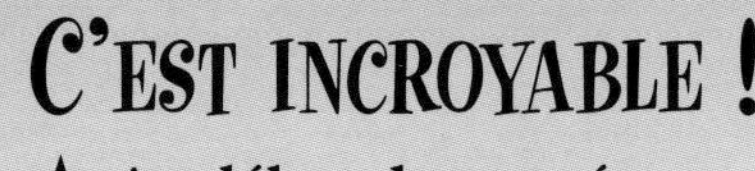

C'EST INCROYABLE !

★ Au début des années 1920, dans le monde, la moitié des voitures étaient des Model-T de Ford.

★ Il ne fallait que 90 minutes pour assembler une Model-T.

La circulation à Surabaya, Java, en 1935.

AUTOMOBILES ET CHEVAUX

Au début de l'ère de l'automobile, voitures, coches et chevaux se partageaient les routes. La signalisation était quasi inexistante, et les gens traversaient quand ils le voulaient. Le permis de conduire n'existait pas. Le désordre régnait souvent dans les rues.

POUR EN SAVOIR PLUS
LES GRANDES INVENTIONS : le moteur à combustion
LES MACHINES : les voitures

L'univers de l'automobile

La carrosserie *est très haute au-dessus de la route.*
Pneus *à sillons profonds.*

Toyota Rav4, modèle 1994.

Les voitures ont beaucoup changé depuis leur invention. Aujourd'hui, elles vont vite et sont équipées de sièges confortables. Elles sont chauffées en hiver et climatisées en été. La plupart ont aussi un lecteur de disques-compacts ou un radio cassette, et certaines le téléphone. Les voitures modernes sont beaucoup plus sûres, grâce aux ceintures de sécurité et aux coussins gonflables (les airbags™), qui se gonflent instantanément en cas d'accident.

HORS DES SENTIERS BATTUS

Dans les 4 X 4, comme cette Toyota, le moteur entraîne les quatre roues à la fois. Cela procure une meilleure adhérenc surtout lorsque la route est très accidentée. Les voitures ordinair n'ont que deux roues motrices, à l'avant ou à l'arrière.

PRODUCTION MALAISIENNE

En Malaisie, la Proton est la voiture qui remporte le plus gros succès. La société a produit plus d'un million de ces voitures depuis sa création en 1983. Elle se vend dans plus de cinquante pays.

Toit ouvrant.
Pare-brise *et essuie-glace.*
Capot.
PROTON
PROTON
Les phares et les clignotants *sont intégrés dans la carrosserie.*

La Proton dans un salon d'exposition.

C'EST INCROYABLE !

★ **La plus longue voiture du monde est une limousine américaine qui mesure plus de 30 mètres, avec piscine intérieure !**

UN AMOUR DE COCCINELLE

La Coccinelle de Volkswagen est la voiture qui s'est le mieux vendue au monde. Depuis sa conception par Ferdinand Porsche en 1934, on en a fabriqué plus de 21 millions. Le mot Volkswagen signifie « voiture du peuple » en allemand, un nom bien mérité !

Coccinelle de VW, vers 1940.

La nouvelle Coccinelle, VW modèle 1994.

Pare-brise renforcé.

Les voitures modernes *ont une forme aérodynamique pour consommer moins d'essence et aller plus vite.*

Rétroviseur *ajustable.*

Pare-chocs *qui amortissent les chocs.*

Plaque d'immatriculation *(provisoire).*

VOITURES À ALCOOL

Au Brésil, des véhicules spéciaux ont été développés pour rouler à l'alcool plutôt qu'à l'essence, afin d'économiser carburant et argent. L'alcool est fabriqué à partir de sucre de canne brésilien. Les fabricants conçoivent aussi des voitures qui marchent à l'électricité ou à l'air comprimé.

Pompe à alcool au Brésil.

POUR EN SAVOIR PLUS
LES MACHINES : les chaînes de montage
LA TERRE : la pollution

Les voitures de course

Les courses de voitures existent depuis les débuts de l'automobile. La première course s'est déroulée en France en 1894. Elle fut remportée par le marquis de Dion, au volant d'une voiture à vapeur qui avait roulé à une vitesse moyenne de 18 km/h. Aujourd'hui, une berline familiale va dix fois plus vite et les voitures de course sont bien plus rapides encore. Pour des raisons de sécurité, des limites de vitesse sont fixées sur les routes, si bien que les courses doivent s'effectuer sur des circuits fermés.

VOITURES DE SPORT EN VILLE
On achète des voitures de sport pour le plaisir autant que pour la course. Les petites sportives sont appréciées en ville, car elles sont stylées et pratiques dans les rues encombrées. Elles sont aussi faciles à garer.

Voiture de sport Honda, idéale en ville.

ARRÊT AU PUITS (AU STAND)
Les courses de voitures les plus prestigieuses sont les courses de formule 1 (F1). Pendant l'épreuve, les véhicules s'arrêtent plusieurs fois au stand pour remplir le réservoir et changer les pneus. Une équipe de vingt mécaniciens accomplit ces tâches le plus vite possible.

Avec un pistolet à air, *les mécaniciens changent les pneus en quelques secondes.*

L'aileron aide *à plaquer la voiture au sol à grande vitesse.*

Un mécanicien *tient un démarreur à air, pour faire démarrer le moteur si la voiture cale.*

Une équipe de mécaniciens en action au stand.

C'EST INCROYABLE !

★ **Les mécaniciens mettent moins de dix secondes pour changer les quatre pneus d'une voiture de F1.**

★ **Les voitures de F1 peuvent atteindre des vitesses de 320 km/h.**

SUR LA PISTE

Au début de l'histoire des courses, les pistes étaient souvent inclinées pour que les voitures puissent aller plus vite. Il n'y avait pas de barrière de sécurité, c'était donc très dangereux. Aujourd'hui, lorsqu'on construit un circuit, on veille à la sécurité du public et des pilotes.

Sur la piste, les voitures roulent à grande vitesse.

Carrosserie *soignée.*

Ligne basse *et longue.*

Voiture de sport Ferrari GT.

LE SPORT ET LE LUXE

La fameuse entreprise italienne Ferrari a été fondée en 1929 par Enzo Ferrari. Ses meilleures voitures participent aux courses de F1 depuis 1948. Ferrari construit aussi des voitures de sport de luxe. Nombreux sont ceux qui vont les admirer lors des Salons, mais elles sont très chères et peu de gens peuvent se les offrir.

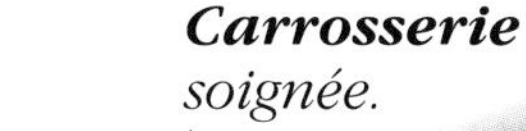

Les mécaniciens *lèvent les bras quand ils ont terminé leur travail.*

Combinaison *ignifugée.*

...ntes ***...rges.***

Lorsque le vainqueur franchit le drapeau à damiers, on enregistre son temps.

POUR EN SAVOIR PLUS
LES MACHINES : les véhicules sans chauffeur
LE SPORT : les courses automobiles

Les bolides

Les voitures de sport roulent vite sur la route, les voitures de course foncent sur les circuits, mais les voitures à réaction sont encore plus rapides lorsqu'elles filent dans le désert ! En 1997, la Thrust SSC a battu le record de vitesse sur terre, en brisant le mur du son.

Les moteurs à réaction ne font pas tourner les roues de la voiture. Ils propulsent la voiture, comme un moteur d'avion à réaction. Il faut donc concevoir la voiture pour qu'elle reste au sol, sans décoller, ce qui n'est pas une mince affaire ! La Thrust SSC a la forme d'une fusée, avec deux gros réacteurs de chaque côté. Pour battre le record de vitesse sur terre, elle a dû faire deux passages sur 1,6 km dans le désert, à moins d'une heure d'intervalle.

Richard Noble détenait le record de vitesse sur terre sur la Thrust en 1983, avant de se faire battre par la Thrust SSC.

PLUS VITE QUE LE SON

La Thrust SSC a battu le record de vitesse sur terre en 1997, dans le désert du Nevada, aux États-Unis. Elle est allée plus vite que la vitesse du son, en atteignant une vitesse moyenne de 1 227,98 km/h. Elle était pilotée par le pilote de chasse britannique Andy Green.

Deux réacteurs *Rolls-Royce donnent à la Thrust SSC la puissance de 100 voitures de F1.*

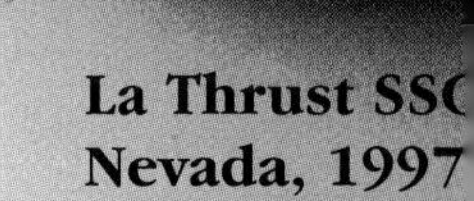

La Thrust SS(
Nevada, 1997

LES PREMIERS RECORDS

Le premier record de vitesse a été établi par un Français, le comte Chasseloup-Laubat en 1898. Sa voiture électrique atteignait 63 km/h. En 1902, la voiture du Français Léon Serpollet fut la première voiture à vapeur à dépasser les 120 km/h. Ensuite, les voitures à essence ont remporté tous les records jusqu'à l'apparition des dragsters et des voitures à réaction dans les années 1960.

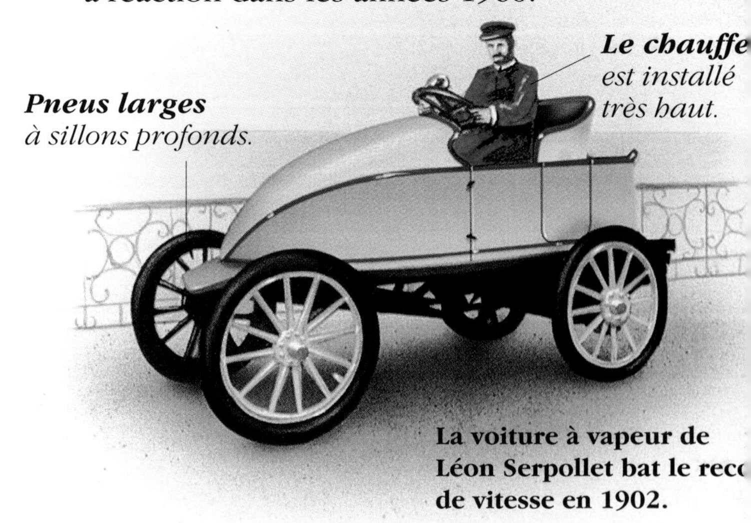

Pneus larges *à sillons profonds.*

Le chauffe *est installé très haut.*

La voiture à vapeur de Léon Serpollet bat le rec(de vitesse en 1902.

Un empennage *maintient la voiture au sol à grande vitesse.*

Les parachutes *qui s'ouvrent à l'arrière permettent à la voiture de s'arrêter.*

Record de vitesse

En 1991, l'Américain Al Teague a atteint une vitesse de 696 km/h dans une voiture appelée « Speed-O-Motive ». C'est le record absolu pour une voiture dirigée par un volant. Ce record a été établi dans le désert de Bonneville, dans l'Utah, où de précédents records avaient déjà été établis.

Le pilote *est installé dans un habitacle fermé.*

La *Speed-O-Motive* d'Al Teague, en 1991.

La Thrust SSC *pèse 10 tonnes, mais passe de zéro à 160 km/h en quatre secondes.*

Les roues sont presque *entièrement cachées dans la carrosserie.*

Le nez pointu *la rend plus aérodynamique.*

POUR EN SAVOIR PLUS
LES ANIMAUX MARINS : l'aérodynamisme
LES MACHINES : les moteurs à réaction

Les véhicules utilitaires

On utilise de gros engins motorisés pour accomplir des travaux très divers. Les camions, par exemple, livrent des marchandises aux supermarchés, de l'essence aux stations-service et bien d'autres choses encore. Certains véhicules, comme les camions de pompiers, les ambulances, les bennes à ordures, les chasse-neige sont conçus pour une tâche particulière et sont dotés d'un équipement spécifique. Les autobus transportent des passagers qui vont faire des courses en ville ou qui partent pour de grands voyages.

LA LUTTE CONTRE LES INCENDIES

Les engins anti-incendie sont équipés de grandes échelles qui permettent de sauver les gens par les fenêtres d'un bâtiment en feu. Ils sont également munis de grands tuyaux pour asperger le feu d'eau, parfois du sommet de l'échelle. Les pompiers travaillent en équipe et chacun sait exactement ce qu'il doit faire et à quel moment.

Échelle.
Sirène.
L'échelle pivote *dans la position nécessaire.*
Le réservoir *contient de l'eau.*
L'eau jaillit des tuyaux *sous une forte pression.*
Des pieds maintiennent *l'engin en équilibre lorsqu'il est en service.*

Les pompiers et leur camion équipé d'une grande échelle hydraulique.

LES CONVOIS ROUTIERS

Les marchandises doivent parfois parcourir de longues distances par la route. En Australie, par exemple, on charge les marchandises dans de longues remorques attachées à des camions puissants. Un camion qui tire plusieurs remorques s'appelle un convoi routier.

Un convoi australien.

UN BUS À DEUX ÉTAGES

Pour les longs trajets, les passagers doivent être bien installés. Les autocars modernes de luxe à deux étages offrent des écrans de télévision, l'air climatisé et des toilettes à bord. Parfois, on y sert à boire et à manger. Ces services rendent le voyage plus agréable.

Étage supérieur.

Grand rétroviseur *qui aide le chauffeur à voir la circulation.*

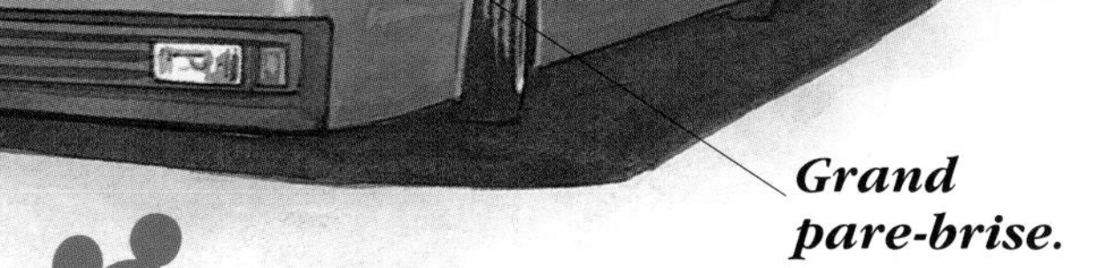

Autocar de luxe.

Grand pare-brise.

C'EST INCROYABLE !

★ **Le plus long bus du monde mesure plus de 32 mètres et offre 170 places assises.**

URGENCES

Les ambulances transportent les malades et les blessés à l'hôpital le plus rapidement possible. Elles sont équipées de matériel médical, pour que les infirmiers puissent apporter les premiers soins d'urgence pendant le transport.

Les gyrophares et les sirènes *avertissent les autres automobilistes du passage du camion.*

Le patient *est attaché pendant le trajet.*

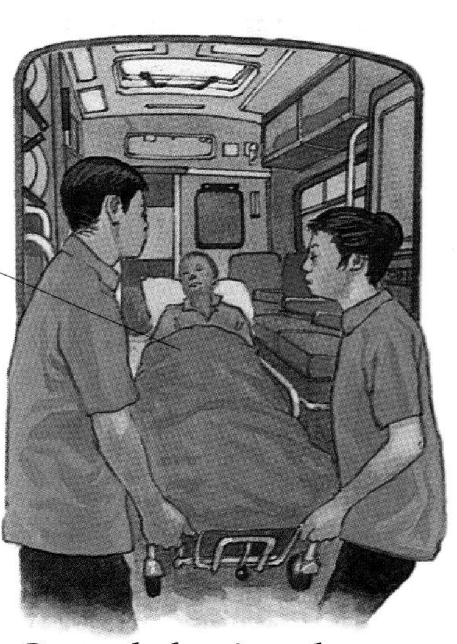

Des ambulanciers chargent un malade dans leur véhicule.

POUR EN SAVOIR PLUS
L'ATLAS DU MONDE : l'Australie
LES MACHINES : le vérin hydraulique

Bicyclettes et motos

La bicyclette est sans doute le moyen de transport le plus efficace jamais inventé. Elle n'a pas besoin de carburant, car l'énergie est fournie par l'homme lui-même qui tourne les pédales. Elle est facile à conduire et à entretenir. La première bicyclette a été fabriquée en 1839, et bientôt les ingénieurs songèrent à des moyens d'économiser l'énergie du cycliste. Ils ont commencé par ajouter un petit moteur à vapeur, et, dès 1885, les premières motos à essence sont apparues.

LES ROUTIÈRES

La compagnie Harley Davidson vend des motos confortables depuis 1904. Ses motos sont souvent conçues de telle manière que le motard assis sur une selle de cuir a les mains posées assez haut sur le guidon. Cette position et les suspensions très douces en font des motos idéales pour les longs trajets sur route.

Réservoir *à essence.*
Phares.

La Panhead, de Harley Davidson.

LES MOTOS DE COMPÉTITION

Tous les ans se déroulent des championnats de motos au cours desquels s'affrontent de puissants engins. De nombreux constructeurs célèbres y participent, comme Ducati, une société italienne, Honda et Yamaha, deux firmes japonaises.

Les pilotes se penchent *dans les virages pour les prendre plus rapidement et en douceur.*
Poignée, *ou accélérateur.*

Des motos lancées à pleine vitesse dans un virage.

Le vélo pour tous

La bicyclette est un moyen de transport très populaire dans le monde entier. Certaines villes sont équipées de parkings à vélos gardés où on peut laisser son engin en toute sécurité. De nombreux cyclistes roulent pour faire du sport et pour s'amuser tout autant que pour se déplacer.

Parking à vélos à Pékin, en Chine.

Casque.

Pousse-pousse

Dans certains pays asiatiques, on se déplace souvent en pousse-pousse, une petite voiture tirée à la main. De plus en plus, des cyclopousses, des sortes de tricycles, prennent la place des charrettes à main. Le chauffeur s'assied sur une selle de bicyclette à l'arrière et pédale pour faire avancer le pousse-pousse.

Le chauffeur *s'assied à l'arrière.*

Les trois roues *transforment le pousse-pousse en tricycle.*

Pousse-pousse chinois.

Vêtements *de cuir.*

Renforts *aux genoux.*

C'est incroyable !

★ **En 1922, l'Israélien Tal Burt a battu un record en accomplissant le tour de la Terre à vélo en 78 jours (il avait traversé les océans en ferry).**

Vélocipède

La « Penny Farthing », une des premières bicyclettes, est restée très populaire pendant des années après son invention en 1870. Sa roue avant mesurait jusqu'à 1,50 m, si bien que chaque coup de pédale permettait d'avancer sur une longue distance. Mais il était difficile de monter sur l'engin ou d'en descendre.

Des Penny Farthing datant de 1890.

POUR EN SAVOIR PLUS
LES GRANDES INVENTIONS : les roues
LE SPORT : le Tour de France

Les bateaux à voile

Les bateaux et les navires figurent parmi les plus vieux moyens de transport. Les premières embarcations étaient en bois et naviguaient à la rame. Il y a environ 5 000 ans, les Égyptiens ont découvert que si l'on ajoutait une voile, le vent s'y engouffrait et poussait le bateau. Ils avaient inventé la marine à voile. Aujourd'hui, la plupart des grands bateaux ont un moteur. Les bateaux à voile modernes sont destinés aux loisirs et au sport.

LES BATEAUX FONCTIONNELS

Les jonques sont des bateaux de bois à fond plat avec de grandes voiles en éventail. Ces solides navires ont sillonné les côtes et les fleuves chinois pendant des siècles. Certaines jonques transportent encore aujourd'hui des marchandises et des passagers.

LA CHASSE AU TRÉSOR

Les galions étaient des bateaux à flancs hauts, armés de canons. Au XVIe siècle, on les utilisait comme navires de guerre et comme cargos. Les galions espagnols transportaient les trésors découverts en Amérique jusqu'en Espagne, mais ils étaient souvent attaqués par des pirates. On a retrouvé dans les Caraïbes des galions engloutis avec leur trésor.

Galion espagnol, vers 1550.

Jonque chinoise, vers 1400.

Voilier de compétition.

BATEAUX DE COURSE

Les voiliers sont souvent utilisés lors des courses de bateaux. La plus longue et la plus difficile est la Whitbread, une course autour du monde. Elle a lieu tous les quatre ans, et les bateaux les plus rapides mettent 120 jours pour terminer l'épreuve. Souvent, les bateaux sont endommagés en raison du mauvais temps et sont incapables de terminer la course.

Porter un gilet de sauvetage est indispensable pour toute activité en mer.

Les tiges de bambou *renforcent la voile.*

Poupe surélevée *(arrière du bateau).*

LA ROUTE DU THÉ

Les clippers, tels le célèbre *Cutty Sark* britannique, étaient des cargos qui ramenaient le thé de Chine vers l'Europe et l'Amérique au milieu du XIXe siècle. Ils étaient si rapides qu'ils pouvaient distancer les autres bateaux de plusieurs jours.

Grand mât.

Mât de misaine.

Mât d'artimon.

La coque *était longue et basse.*

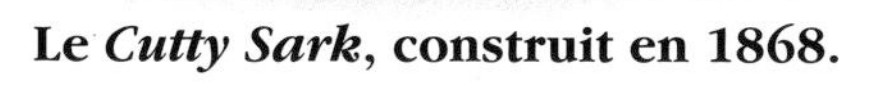

Le *Cutty Sark*, construit en 1868.

C'EST INCROYABLE !

★ **Lorsqu'elles étaient toutes dépliées, les 34 voiles du *Cutty Sark* déployaient une surface de 2 972 m^2 de prise au vent, soit 11 courts de tennis.**

POUR EN SAVOIR PLUS
LES SCIENCES QUI NOUS ENTOURENT : l'inertie
LES VOYAGEURS ET LES EXPLORATEURS : la navigation

Les bateaux à vapeur et les paquebots

En 1807, le premier bateau à vapeur, le *Clermont*, fit son premier voyage le long de l'Hudson, pour aller de New York à Albany. Très vite, les bateaux à vapeur furent plus rapides que les navires à voile. Des bateaux très luxueux, les paquebots, conçus avant tout pour le transport des passagers, traversaient les océans. Aujourd'hui, il est plus pratique de parcourir les longues distances en avion, mais il existe toujours des paquebots de croisière destinés aux loisirs.

Le *Titanic* sombre après avoir heurté un iceberg.

LE NAUFRAGE DU *TITANIC*

On croyait cet immense paquebot de luxe insubmersible. Pourtant, lors de sa première traversée de l'Atlantique, en 1912, il heurta un iceberg et sombra au fond de l'océan. Il y eut 1 500 noyés.

LES CHANTIERS NAVALS

Depuis 1950, le port taïwanais de Kaohsiung est devenu l'un des plus grands chantiers navals d'Asie. Aujourd'hui, seuls le Japon et la Corée du Sud construisent plus de bateaux que Taïwan. On commence par construire la coque extérieure étanche, et on termine par les décorations intérieures.

Sa ligne aérodynamique *rend le bateau plus rapide et moins gourmand en carburant.*

La construction d'un bateau sur le chantier naval de Kaohsiung, à Taïwan.

Bateau à aube sur le Mississippi, vers 1815.

LES BATEAUX À AUBE

.es premiers bateaux à vapeur quittèrent .a Nouvelle-Orléans en 1812 pour remonter le Mississippi. Le moteur ıctionnait une grande roue à l'arrière qui ›ropulsait le bateau dans l'eau. Au début, es bateaux à aube transportaient des ıarchandises, comme le coton, avant l'embarquer des passagers. Aujourd'hui, es touristes les apprécient beaucoup.

UNE CROISIÈRE DE LUXE

Les paquebots modernes ne sont plus que de luxueux hôtels flottants. Le *Sun Princess* a son propre théâtre, son gymnase et sa salle de bal. Il mesure 261 mètres de long et vogue dans les Caraïbes, avec 2 000 passagers à bord.

C'EST INCROYABLE !

★ **Le plus long paquebot du monde encore en service est le *Norway* (l'ancien *France*). Il mesure 315,5 m de long.**

Des grues géantes *apportent les éléments préfabriqués pour qu'on les assemble.*

On soude *les différentes sections de la coque.*

Le *Sun Princess* en croisière dans les Caraïbes.

POUR EN SAVOIR PLUS
LES GRANDES INVENTIONS : la vapeur
LES SCIENCES QUI NOUS ENTOURENT : la flottaison

Les navires de guerre

On livre bataille sur les eaux depuis des milliers d'années. Il y a quelques siècles encore, les navires de guerre et les bateaux de commerce se ressemblaient beaucoup. Aujourd'hui, les navires de guerre vont des petites vedettes, avec un équipage de quelques membres, aux immenses porte-avions, entretenus par des milliers de soldats. On utilise également les bateaux pour transporter les troupes, les armes et l'équipement militaire.

C'EST INCROYABLE !

★ **Le gigantesque porte-avions USS *Nimitz* mesure 333 m de long et 77 m de large, avec un pont vaste comme 70 courts de tennis.**

DES AÉROPORTS FLOTTANTS

Les porte-avions servent de base pour 95 avions de chasse, bombardiers ou hélicoptères. On utilise une catapulte pour aider les avions à décoller de la courte piste. Des crochets placés en dessous de l'appareil s'accrochent à des câbles d'acier pour qu'il s'arrête après l'atterrissage.

Trirème grecque, vers 400 av. J.-C.

NAVIRES GRECS

Dans l'Antiquité, les Grecs construisaient des trirèmes, où 85 rameurs pouvaient s'installer de chaque côté. Ils voguaient à la voile et les rameurs apportaient de la vitesse supplémentaire en cas d'affrontement avec un vaisseau ennemi.

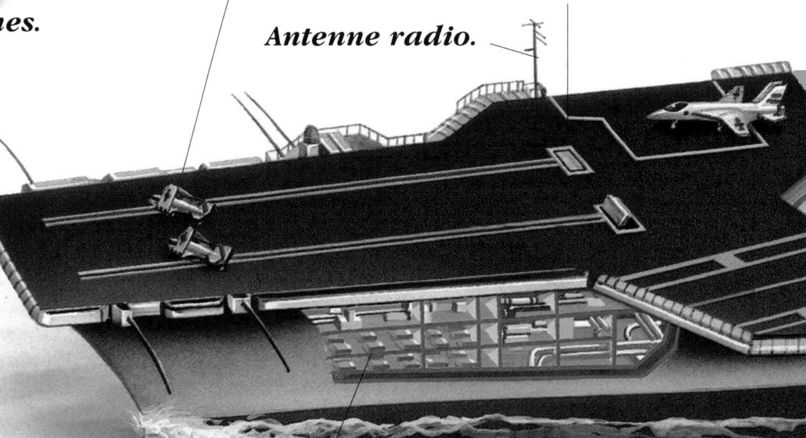

Porte-avions en coupe.

DANGEREUX NAVIRES

Au XVIIe siècle, les navires de guerre étaient munis de rangées de canons qui lançaient des boulets dans la coque des bateaux ennemis. Peu fiables, ils explosaient parfois instantanément. Cela explique peut-être pourquoi le *Wasa*, un navire de guerre suédois, a fait naufrage dans le port de Stockholm en 1628 lors de sa première sortie en mer. Trois siècles plus tard, on a renfloué le navire, qu'on a transformé en musée.

Le *Wasa*, en 1600.

La passerelle *est le centre de commande du navire.*

Un ascenseur *apporte les appareils sur le pont.*

Scanner *radar.*

Piste *d'atterrissage.*

Hélicoptères.

Hélice.

Canots *de sauvetage.*

On gare et on répare *les avions en dessous du pont.*

LES CUIRASSÉS AMÉRICAINS

Le cuirassement a révolutionné la conception des navires de guerre. Les cuirassés étaient recouverts d'une coque de fer et disposaient d'un meilleur armement.
La première bataille de cuirassés eut lieu en 1862, lors de la guerre de Sécession. Le *Monitor* et le *Merrimack* s'affrontèrent pendant trois heures sans qu'aucun d'eux ne puisse couler l'autre.

Le *Monitor* affronte le *Merrimack*.

POUR EN SAVOIR PLUS
LES MACHINES : les hélices
L'HISTOIRE ANCIENNE : la guerre de Sécession

Sous les vagues

Les sous-marins sont des bateaux qui peuvent naviguer sous l'eau. La plupart des grands sous-marins sont des bâtiments de guerre, mais les plongeurs et les scientifiques utilisent aussi de petits sous-marins, ou bathyscaphes, pour explorer les profondeurs de l'océan.

Grâce à leurs recherches, les scientifiques ont fait de nombreuses découvertes sur la vie dans les fonds des océans. Les plongeurs ont recours à des bathyscaphes pour étudier les épaves de vieux navires ou pour réparer les pipe-lines au fond de la mer. En général, les bathyscaphes ne restent en immersion que quelques heures d'affilée.

Explorer la profondeur des océans

En 1986, les scientifiques américains ont exploré l'épave du *Titanic* à bord du bathyscaphe *Alvin*. L'*Alvin* a également permis de découvrir des créatures marines inconnues jusqu'alors et de s'approcher des « fumeurs noirs », des sortes de cheminées au fond des océans d'où jaillissent des jets d'eau chaude.

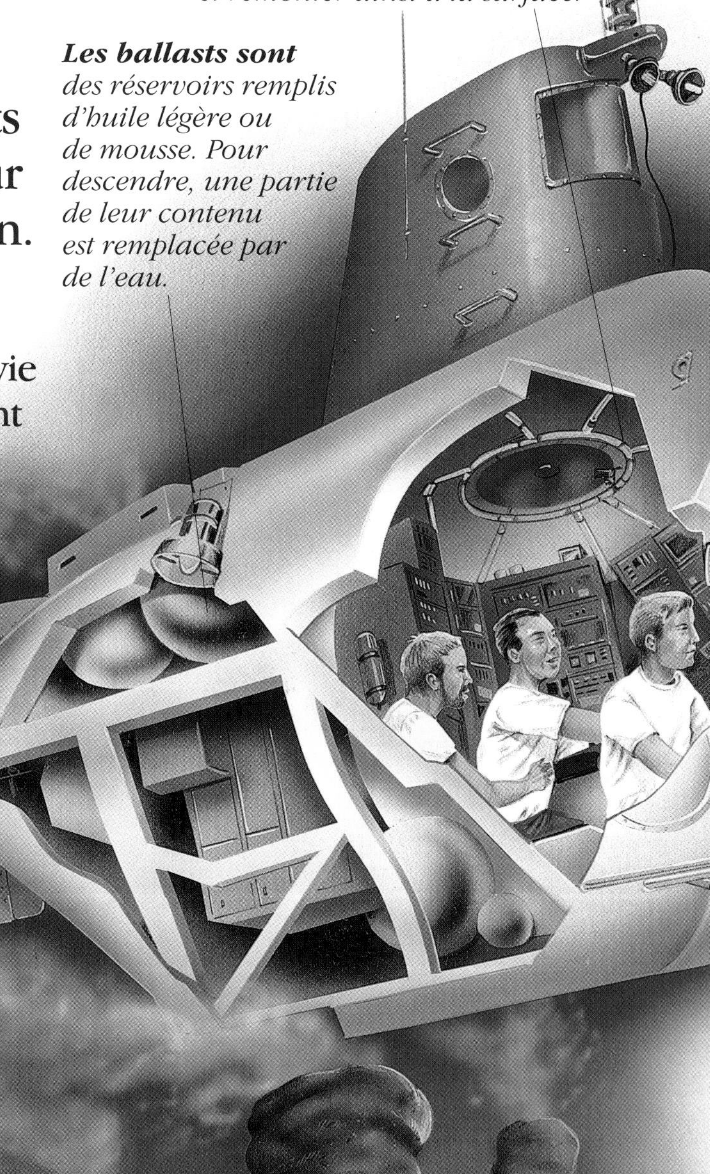

La cabine qui contient les quartiers *de l'équipage peut se détacher du reste du bathyscaphe en cas d'urgence et remonter ainsi à la surface.*

Les ballasts sont *des réservoirs remplis d'huile légère ou de mousse. Pour descendre, une partie de leur contenu est remplacée par de l'eau.*

Une hélice *propulse le sous-marin sous la surface.*

Les fumeurs noirs *au fond de l'océan crachent des jets d'eau brûlante.*

Avec un périscope, on peut voir au-dessus de soi... Les sous-marins utilisent des périscopes pour voir au-dessus de la surface de l'eau.

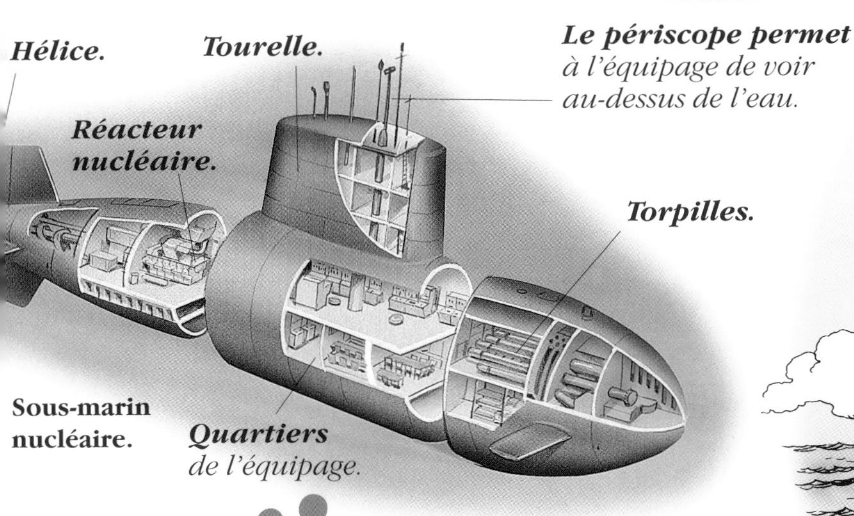

Le périscope permet à l'équipage de voir au-dessus de l'eau.

Sous-marin nucléaire.

LES SOUS-MARINS NUCLÉAIRES

Les premiers sous-marins devaient souvent remonter à la surface pour recharger leurs batteries. Les sous-marins nucléaires modernes peuvent rester sous l'eau pendant des mois d'affilée. Ils sont capables d'aller du Pacifique à l'Atlantique en restant sous l'eau, en passant sous la calotte glaciaire du pôle Nord.

Caméra.

Projecteurs.

Le bras télécommandé *collecte les échantillons.*

Panier *où l'on dépose les échantillons.*

Le bathyscaphe *Alvin* explore le fond de l'océan.

Le *Trieste*, 1960.

Centre *d'observation de l'équipage.*

LA PLONGÉE EN PROFONDEUR

Le *Trieste*, un bathyscaphe américain à coque renforcée, a battu le record du monde de plongée en 1960 en atteignant 10 912 m dans la fosse des Mariannes, dans le Pacifique, le point le plus profond de la Terre. Deux scientifiques étaient installés dans une sphère d'observation placée sous la coque.

POUR EN SAVOIR PLUS
LES ANIMAUX MARINS : les fosses abyssales
LES MACHINES : les sous-marins

L'assistant tient *le tuyau d'air.*

Le plongeur marche *sur le fond de l'océan, la tête protégée sous un casque rempli d'air.*

CLOCHE DE PLONGÉE

L'astronome anglais Edmund Halley a construit une cloche de plongée en 1690. La cloche avait un fond ouvert, mais la pression de l'air qu'elle renfermait empêchait l'eau d'entrer. Lorsque l'air de la cloche était épuisé, on le remplaçait par de l'air frais qu'on envoyait dans des tonneaux

Poids.

Cloche de plongée de Halley, 1690.

Tonneaux d'air plombés.

Transport de cargaison

Les cargos sillonnent les mers depuis des millénaires pour permettre aux habitants des différents continents de commercer les uns avec les autres. D'immenses cargos transportent des tonnes et des tonnes de marchandises, car il est moins cher de les faire voyager par mer que par les airs. Les plus gros bateaux du monde, les pétroliers géants, transportent du pétrole dans le monde entier. Des bateaux plus petits et des péniches assurent le transport des marchandises sur les rivières.

LES CARGOS ROMAINS

Dans la Rome antique, on utilisait des cargos en bois pour transporter le grain importé d'Égypte. Les batea mesuraient 55 m de long et étaient dirigés par de grands avirons de queu à l'arrière. Ils transportaient égalem des prisonniers et des esclaves.

Mât *et voile repiée.*

Bateau à grains romain, 200 av. J.-C.

LE PLUS GRAND BATEAU DU MOND

Le plus grand bateau du monde est le superpétrolier norvégien *Jabre Viking*. Il mesure 458 mètres de long et 69 mètr de large. Il est si volumineux qu'il lui fa plusieurs kilomètres pour effectuer une manœuvre comme virer ou s'arrêter.

La passerelle *et les quartiers de l'équipage se trouvent à la poupe (arrière).*

Le *Jabre Viking*, 1979.

DES ENTREPÔTS FLOTTANTS

La soute d'un cargo ressemble à un immense entrepôt. Elle est divisée en compartiments, dans lesquels on dépose des conteneurs de métal de dimensions standard qui contiennent la marchandise. Certains cargos transportent aussi des camions, qui montent à bord grâce à une passerelle à l'arrière.

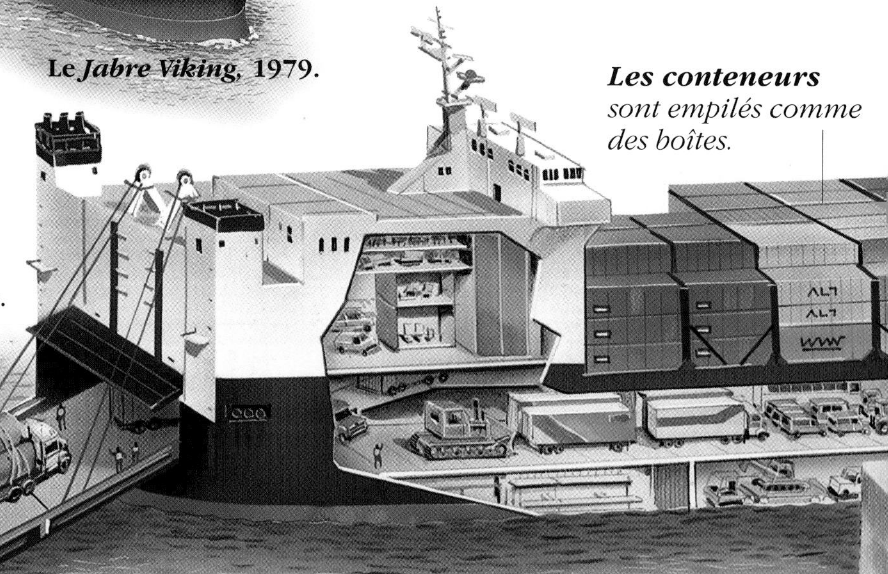

Les conteneurs *sont empilés comme des boîtes.*

Les camions *entrent directement dans la soute.*

UN PORT ANIMÉ

Les cargos chargent et déchargent leurs marchandises dans les ports. Les conteneurs arrivent au port par la route ou le rail. Rotterdam, un grand port des Pays-Bas, a été fondé dès le XIIe siècle av. J.-C. Au début, ce n'était qu'un petit port de pêche. Aujourd'hui, ce grand port d'Europe accueille près de 32 000 bateaux par an.

Chargement de conteneurs à Rotterdam.

C'EST INCROYABLE !

★ Plus de 90 % des marchandises sont transportés par bateau.

★ Le plus grand cargo peut contenir 6 000 conteneurs de 6 m de long chacun.

SUR LA RIVIÈRE

Les péniches sont de longs bateaux très lents à fond plat qui naviguent sur les fleuves et les rivières. Le Yang-Tsé-Kiang en Chine, le Mississippi aux États-Unis et le Rhin en Europe ont un grand trafic fluvial.

Péniche transportant du charbon sur le Yang-Tsé-Kiang.

Compartiments.

***Les grues hissent** les conteneurs sur le bateau.*

***Les conteneurs sont remplis** de marchandises à l'usine avant d'être apportés au port.*

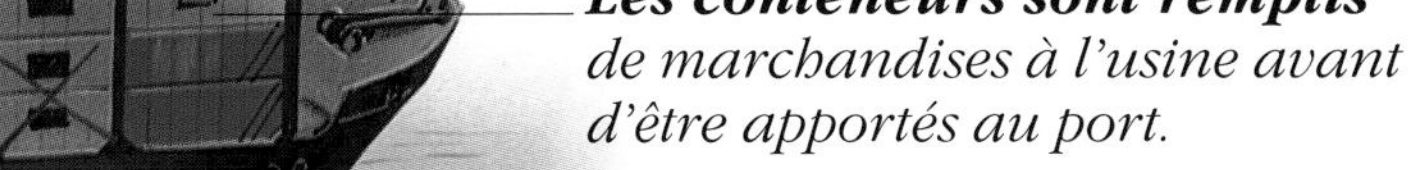

Chargement d'un cargo.

POUR EN SAVOIR PLUS
LES MACHINES : les cargos
LES SCIENCES QUI NOUS ENTOURENT : le niveau de chargement

Transport de passagers

De gros bateaux appelés ferrys ou transbordeurs transportent des passagers et leurs véhicules sur de courtes distances. Aujourd'hui, les plus gros peuvent accueillir plus de 1 000 passagers et plusieurs centaines de véhicules. Certains transbordeurs modernes ont deux coques, ce qui les rend plus stables sur l'eau et plus rapides. Un hydroglisseur effleure la surface de l'eau, tel un skieur nautique, tandis qu'un aéroglisseur se déplace sur un coussin d'air.

VOGUER SUR L'EAU

Lorsqu'il se déplace à grande vitesse, un hydroglisseur peut se soulever sur des sortes d'ailes sous-marines, appelées quilles. Ainsi, il peut aller encore plus vite sans consommer plus de carburant. De nombreux hydroglisseurs servent de navette entre Hong Kong et Macao.

L'hydroglisseur de Hong Kong à Macao navigue à faible vitesse.

Les hydroglisseurs *s'appuient sur de longues quilles.*

À une certaine vitesse, *les quilles repoussent la coque hors de l'eau.*

C'EST INCROYABLE !

★ **Le *Silja Europa*, le plus grand transbordeur du monde, est un bateau suédois qui peut transporter 3 000 personnes et 410 véhicules.**

Coque double de catamaran.

Transbordeur rapide.

SUR UN COUSSIN D'AIR

Les aéroglisseurs sont propulsés par de puissantes hélices qui alimentent une couche d'air hautement pressurisée entre le fond du navire et la surface de l'eau. L'aéroglisseur se déplace sur cette couche d'air et navigue grâce à des hélices semblables à celles des avions.

TRANSBORDEURS GÉANTS

Les transbordeurs catamarans de High-Speed Sea Service peuvent atteindre des vitesses de 74 km/h. Ils mesurent 124 mètres de long et transportent 1 500 passagers et 375 véhicules. Les ports modernes ont été adaptés pour recevoir de tels bateaux.

Une jupe de caoutchouc flexible retient une couche d'air.

L'hovercraft britannique SRN4.

Scanner radar.

L'équipage dirige le bateau à partir de la passerelle.

Compartiment passagers.

Rambarde de sécurité.

L'hydroglisseur flotte lorsqu'il est immobile ou qu'il navigue à petite vitesse.

VOYAGER EN GRANDE POMPE

Le transbordeur à trois étages *Flotel Orellana* navigue sur l'Aguarico, en Équateur. Ce bateau constitue le moyen le plus efficace de transporter passagers et marchandises à travers la dense forêt vierge, et, du pont, les touristes peuvent admirer le paysage.

Le *Flotel Orellana*, en Équateur.

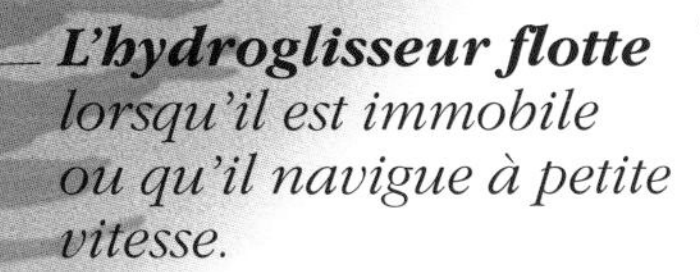

POUR EN SAVOIR PLUS
LES MACHINES : les coques
LES SCIENCES QUI NOUS ENTOURENT : la pression atmosphérique

S'envoler dans les airs

Bien avant l'ère de l'avion, les hommes enviaient les oiseaux et rêvaient de voler. Dans la Grèce antique, on racontait que certains hommes se fabriquaient des ailes pour voler. Les cerfs-volants ont été inventés dans la Chine antique, et, il y a plus de 200 ans, on lançait les premiers ballons. À la fin du XIXe siècle, les premiers planeurs étaient capables de voler sur de courtes distances. En 1903, les Américains Orville et Wilbur Wright accomplirent le premier vol dans un avion à moteur, propulsé par une hélice et un moteur à essence.

LES PIONNIERS DE L'ATLANTIQUE

En 1919, deux aviateurs anglais, John Alcock et Arthur Brown, furent les premiers à traverser l'Atlantique sans escale de l'Amérique du Nord à l'Europe. Ils voyagèrent dans le froid pendant plus de 16 heures. Brown dut grimper sur les ailes à plusieurs reprises pour ôter la glace qui se formait sur les moteurs.

Le biplan d'Alcock et Brown, *Vickers Vimy*, traverse l'Atlantique en 1919.

Alcock et Brown *sont installés dans un habitacle ouvert.*

L'appareil a une envergure *(largeur d'une aile à l'autre) de 20,7 m.*

Les deux hélices *sont activées par des moteurs Rolls-Royce.*

LE PLANEUR DE LILIENTHAL

L'ingénieur allemand Otto Lilienthal a accompli plus de 2 000 vols grâce à ses propres planeurs. Il les utilisa pendant cinq ans, mais il fit une chute mortelle en 1896. Les journaux le surnommaient « l'Homme volant ».

Otto Lilienthal dans l'un de ses planeurs, vers 1890.

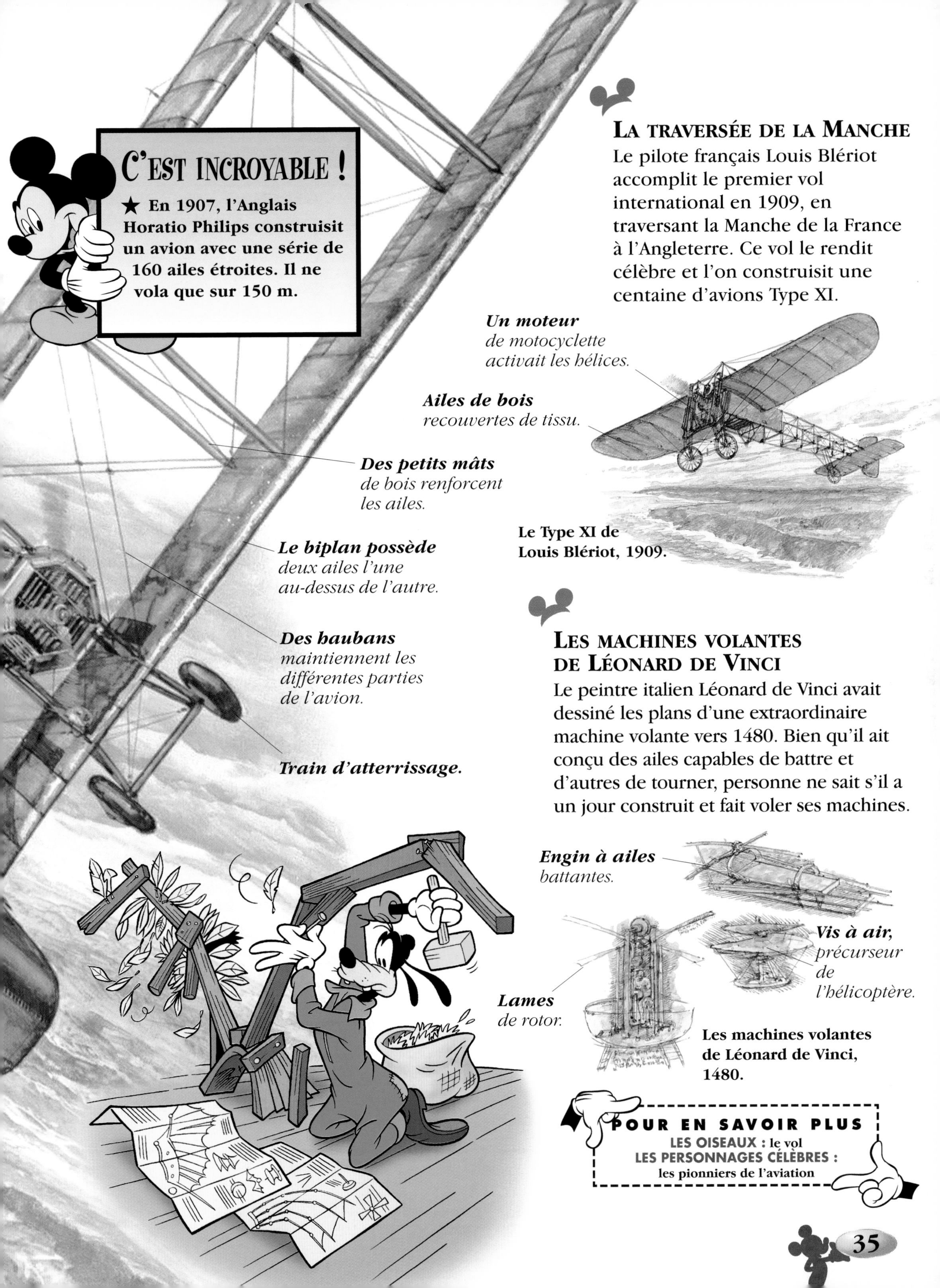
Un moteur
de motocyclette
activait les hélices.
Ailes de bois
recouvertes de tissu.
Des petits mâts
de bois renforcent
les ailes.
Le biplan possède
deux ailes l'une
au-dessus de l'autre.
Des haubans
maintiennent les
différentes parties
de l'avion.
Train d'atterrissage.
Engin à ailes
battantes.
Vis à air,
précurseur
de
l'hélicoptère.
Lames
de rotor.

C'EST INCROYABLE !

★ **En 1907, l'Anglais Horatio Philips construisit un avion avec une série de 160 ailes étroites. Il ne vola que sur 150 m.**

La traversée de la Manche

Le pilote français Louis Blériot accomplit le premier vol international en 1909, en traversant la Manche de la France à l'Angleterre. Ce vol le rendit célèbre et l'on construisit une centaine d'avions Type XI.

Le Type XI de Louis Blériot, 1909.

Les machines volantes de Léonard de Vinci

Le peintre italien Léonard de Vinci avait dessiné les plans d'une extraordinaire machine volante vers 1480. Bien qu'il ait conçu des ailes capables de battre et d'autres de tourner, personne ne sait s'il a un jour construit et fait voler ses machines.

Les machines volantes de Léonard de Vinci, 1480.

POUR EN SAVOIR PLUS
LES OISEAUX : le vol
LES PERSONNAGES CÉLÈBRES : les pionniers de l'aviation

Les avions

Au début de l'aviation, concepteurs et pilotes concentraient tous leurs efforts sur le décollage. Une fois cette opération réussie, le simple fait de pouvoir voler semblait merveilleux. Mais, bientôt, on s'aperçut que les avions pouvaient se révéler utiles à bien des fonctions, comme transporter des passagers et du matériel sur les champs de bataille. On fabriqua des avions plus rapides, capables de couvrir de plus longs trajets. Aujourd'hui, les avions sont aussi utilisés dans les opérations de sauvetage et de lutte contre les incendies.

C'EST INCROYABLE !

★ **Le Canadair CL-415 peut emmagasiner 6 130 litres d'eau en 12 secondes.**

★ **Le plus gros hydravion du monde, le Hughes H4, a une envergure de 97,5 m. Il n'a volé qu'une seule fois lors d'un essai.**

LE VOL SUPERSONIQUE

Le premier avion supersonique, c'est-à-dire capable de voyager plus vite que la vitesse du son, fut le Bell X-1 américain. En 1947, il fut emporté dans les airs par un bombardier B-29 qui le largua ensuite. Il était propulsé par un réacteur qui le fit voler à une vitesse de 1 078 km/h.

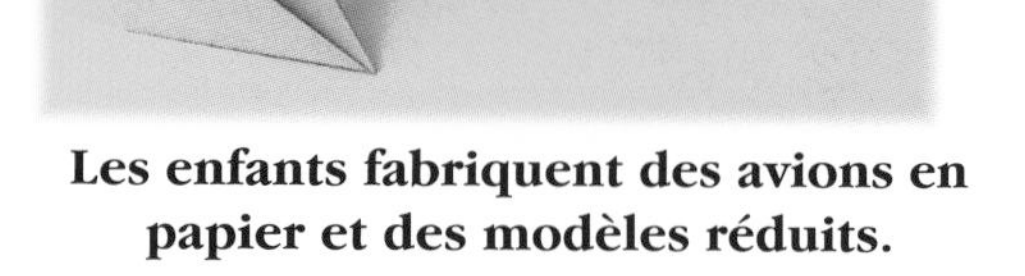

Les enfants fabriquent des avions en papier et des modèles réduits.

Bell X-1, 1947.

Ailes courtes.

Le CL-415 flotte *à la surface et remplit ses réservoirs avant de survoler l'incendie.*

Flotteur.

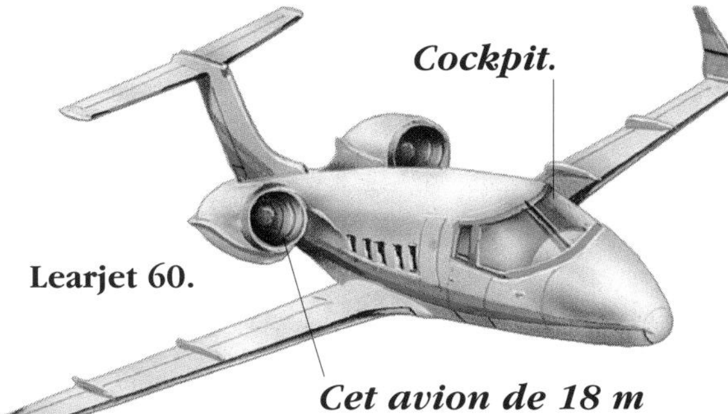

Learjet 60.

Cet avion de 18 m *de long possède deux réacteurs.*

LES AVIONS PRIVÉS

Aujourd'hui, certains hommes d'affaires, des vedettes du spectacle ou du sport possèdent leur propre avion, comme ce Learjet. Certains ne transportent pas plus de 4 passagers, tandis que d'autres peuvent en accueillir 14. C'est un moyen de transport très pratique, mais très cher.

LES AVIONS AMPHIBIES

Le Canadair CL-415 est un appareil amphibie ; il possède des roues pour se poser sur terre, et il flotte sur l'eau. Il est doté d'un grand réservoir, que l'on remplit d'eau et de mousse afin de les relâcher sur les feux de forêt. Cet avion est également utile pour déverser des produits chimiques sur les nappes de pétrole afin de les dissoudre.

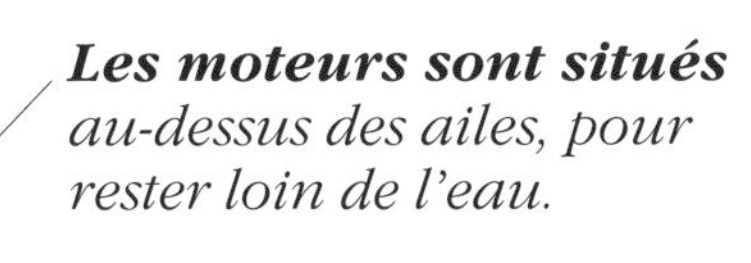

Les moteurs sont situés *au-dessus des ailes, pour rester loin de l'eau.*

Les roues *sont fixées sur les flancs de l'appareil.*

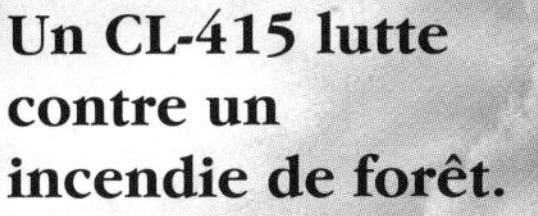

Un CL-415 lutte contre un incendie de forêt.

L'avion sert parfois d'ambulance *pour transporter les malades à l'hôpital.*

ASTA Nomad STOL.

MÉDECIN VOLANT

En Australie, les médecins se déplacent parfois en avion pour aller visiter leurs patients dans des contrées éloignées. Ils se servent d'appareil à décollage court (STOL) pour atterrir sur de petits aérodromes ou dans les champs. Ces avions n'ont pas besoin de grande piste et s'arrêtent dès l'atterrissage ou presque.

POUR EN SAVOIR PLUS
LES MACHINES : les ascenceurs
LES SCIENCES QUI NOUS ENTOURENT : le son

Les avions de ligne

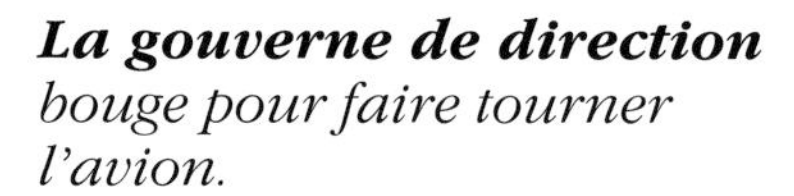

La gouverne de direction *bouge pour faire tourner l'avion.*

Les gouvernes *de profondeur contrôlent l'angle de vol.*

Porte.

Les vols sur de longues distances, appelés long-courriers, ont débuté dès les années 1930. Le premier avion de ligne à la forme aérodynamique était un Boeing 247, qui ne transportait que dix passagers. Bientôt les avions devinrent plus gros et plus confortables. Dans les années 1950, on les équipa de moteurs à réaction pour qu'ils soient plus rapides. En 1970, on construisit le Boeing 747, le premier « gros » porteur. Il est capable d'accueillir plus de 500 passagers. C'est toujours l'avion de ligne le plus employé pour les vols longues distances.

Les volets se lèvent *ou s'abaissent pour faire monter et descendre l'avion.*

Le vol du Comet

Le premier avion de ligne à réaction, le Comet de la compagnie De Havilland, vola pour la première fois en 1952, mais il fut cloué au sol pendant quatre ans après une série d'accidents. On a découvert que le fuselage était craquelé à cause d'un phénomène connu sous le nom de fatigue du métal. On construisit alors un Comet plus solide.

Les passagers embarquent dans un Boeing 247, 1930.

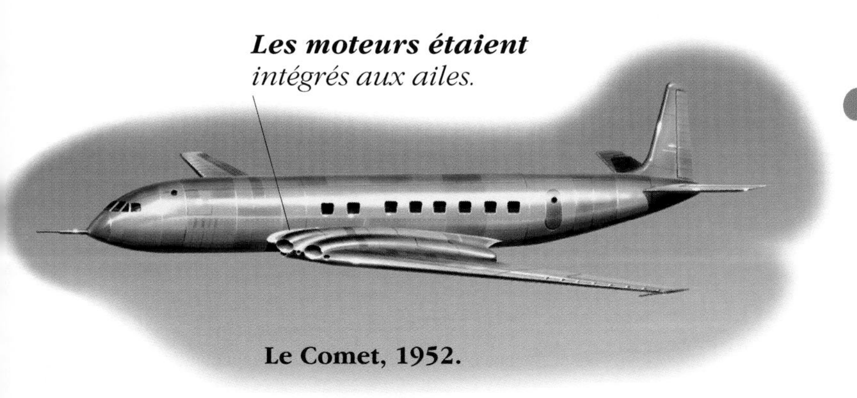

Les moteurs étaient *intégrés aux ailes.*

Le Comet, 1952.

Des débuts modestes

Le Boeing 247 était un petit avion de ligne en métal propulsé par deux hélices. Il vola en 1933 pour la première fois et transportait ses passagers d'une rive de l'Atlantique à l'autre en moins d'une journée. Depuis, Boeing est devenu le premier constructeur aéronautique du monde.

LES GROS-PORTEURS

Le plus gros avion du monde, le Boeing 747, mesure plus de 70 m de long et a une envergure de 65 m. Il peut transporter 566 passagers sur une distance de plus de 13 000 km sans escale. Durant le vol, on sert un repas aux passagers.

Ailette *relevée.*

Cabine arrière.

Cabine supérieure *spacieuse.*

Cabine avant.

Cabine *de pilotage.*

BOEING 747 400

Train d'atterrissage *principal.*

On remonte le train *d'atterrissage dans la soute pendant le vol.*

Les réacteurs *sont placés sous les ailes.*

Boeing 747.

Le Concorde *transporte 110 passagers.*

Le nez s'abaisse *pendant le décollage et l'atterrissage, pour que l'équipage puisse voir ce qui se passe à l'avant.*

LES AVIONS ULTRA-RAPIDES

Le Concorde est le seul avion de ligne qui vole plus vite que la vitesse du son. Il met moins de trois heures pour aller de New York à Londres. Créé par une équipe d'ingénieurs français et britanniques, il est entré en service en 1976. Ses vols ont été suspendus après un grave accident en l'an 2000.

Le Concorde, BAC/Aérospatiale.

C'EST INCROYABLE !

★ **Le Concorde est capable de voler à une vitesse de 2 100 km/h, deux fois la vitesse du son.**

POUR EN SAVOIR PLUS
LES MACHINES :
le pilote automatique, l'avion à réaction

Plus léger que l'air

Les ballons s'élèvent dans les airs, car l'air chaud qu'ils contiennent est plus léger que l'air environnant. Le premier ballon des frères Montgolfier s'est envolé en 1783.

Les dirigeables sont des ballons que l'on peut diriger grâce à un moteur. Le premier a été construit en 1852 par un Français, Henri Giffard. Dans les années 1920, d'immenses dirigeables survolaient l'Atlantique avec des passagers à bord. Ces ballons étaient remplis d'hydrogène, un gaz plus léger que l'air. Contrairement à l'air chaud, l'hydrogène s'enflamme facilement, si bien que les dirigeables risquaient de prendre feu à tout instant. Suite au grave accident de l'*Hindenburg*, en 1937, leur réputation en souffrit beaucoup.

L'hélium est plus léger que l'air, si bien qu'un ballon gonflé à l'hélium s'envole quand on le lâche.

LES FRÈRES MONTGOLFIER

En 1783, deux Français, Joseph et Jacques Montgolfier, chargèrent un coq, un canard et un mouton dans un ballon gonflé à l'air chaud. Les animaux survécurent et, quelques mois plus tard, un chimiste français et un officier survolèrent Paris dans une montgolfière. C'étaient les premiers hommes à se déplacer au-dessus de la terre.

Le ballon était *fabriqué en toile et en papier.*

La montgolfière, 1783.

On chauffait *l'air avec une flamme au sol avant le décollage.*

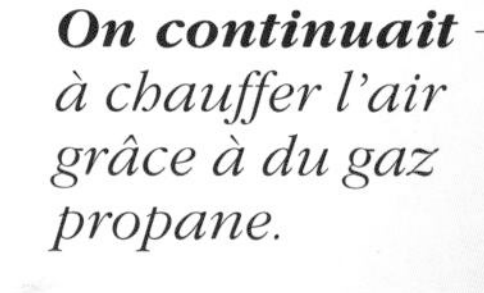

Câbles d'acier *pour fixer la nacelle au ballon.*

On continuait *à chauffer l'air grâce à du gaz propane.*

Système *de refroidissement.*

Le pilote et les passagers *restent dans la nacelle.*

Le *Hindenburg* en flammes en 1937.

L'INCENDIE DU *HINDENBURG*

Le dirigeable allemand mesurait 245 m de long, trois fois la longueur d'un avion gros-porteur. Il pouvait transporter 117 passagers d'une rive à l'autre de l'Atlantique. En 1937, il prit feu dans le New Jersey, aux États-Unis. Il y eut 36 victimes.

LES DIRIGEABLES MODERNES

Aujourd'hui, les dirigeables sont surtout utilisés à des fins publicitaires. Ils sont également pratiques pour les prises de vues aériennes. Ils sont remplis à l'hélium, un gaz plus léger que l'air mais qui ne s'enflamme pas.

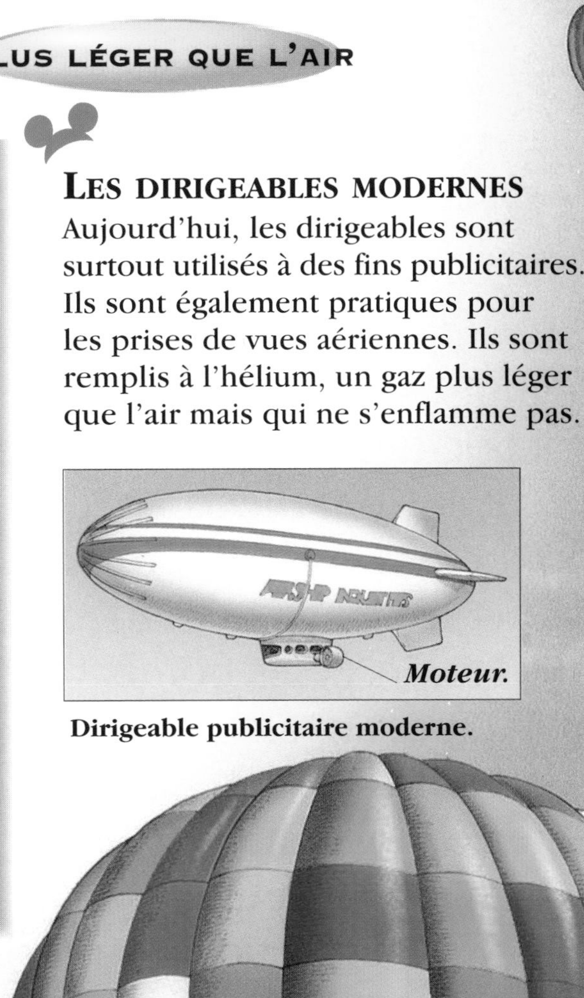

Dirigeable publicitaire moderne.

FESTIVAL DE MONTGOLFIÈRES

Partout dans le monde, on organise des festivals de ballons. La plupart du temps, ce n'est qu'une activité de loisir, pour le plaisir de voler ensemble. Il existe également des compétitions pour savoir quel ballon vole le plus loin et avec la plus grande précision.

L'air chaud *est dirigé à l'intérieur du ballon par la jupe.*

L'enveloppe *est faite de Nylon ou de polyester.*

Le ballon *s'envole là où le vent l'emporte.*

Le départ d'une grande fête du ballon.

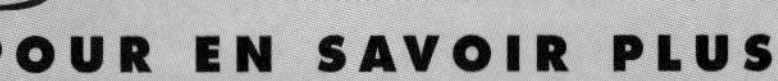

POUR EN SAVOIR PLUS

LES PERSONNAGES CÉLÈBRES : les frères Montgolfier
LES SCIENCES QUI NOUS ENTOURENT : le gaz

Les avions militaires

Peu après leur apparition, les avions à moteur ont été utilisés à des fins militaires. Durant la Première Guerre mondiale (1914-1918), ils servaient surtout d'éclaireurs, en allant espionner les positions ennemies. Bientôt, des avions armés de mitrailleuses se battaient dans les airs et les bombardiers pilonnaient les troupes adverses. Les avions furent utilisés en grand nombre pendant la Deuxième Guerre mondiale (1939-1945). Ils eurent des effets dévastateurs. L'invention du moteur à réaction les rendit encore plus meurtriers. Aujourd'hui, les forces aériennes du monde entier utilisent des avions à réaction aux formes aérodynamiques.

LES PREMIERS AVIONS DE CHASS
Le Messerschmitt Me 262 allemand vola pour la première fois en 1942. Deux ans plus tard, il devint le premier avion réservé à un usage militaire. Il était plus rapide que les autres avions de chasse de l'époqu On construisit plus de 1 400 Me 26

Deux réacteurs *lui donnaient une vitesse de plus de 880 km/h.*

Messerschmitt Me 262, 1942.

Fumée colorée *pour la beauté du spectacle.*

Arrivée d'air *pour le moteur unique du Hawk.*

La vitesse maximale *du Hawk dépasse les 1 000 km/h.*

VOLTIGE AÉRIENNE
Les Red Arrows de la Royal Air Force, tout comme la Patrouille de France et les Snowbirds du Canada, sont célèbres pour leurs acrobaties aériennes. Ils volent en formations surprenantes lors des Salons de l'aviation et des grands événements. Sous les yeux de la foule ébahie, ils exécutent des boucles, des vrilles et des tonneaux.

Une démonstration des Red Arrows aux commandes de leur Hawk.

PLUS DE PISTE

Le Sea Harrier est un bombardier de combat à décollage vertical. Il n'a pas besoin de piste pour décoller. Il peut abaisser les tuyères de ses moteurs pour monter ou descendre comme un ascenseur. Cette qualité est très appréciable sur les porte-avions. Le Sea Harrier peut également se maintenir immobile au-dessus du sol. En vol normal, les tuyères pointent vers le bas.

Le nez abrite *l'équipement radar.*

Le Sea Harrier.

Le Sea Harrier *peut s'arrêter et faire demi-tour en plein vol.*

Le commandant *reste en permanence en contact radio avec les autres pilotes.*

C'EST INCROYABLE !

★ L'avion le plus rapide du monde est le Lockheed SR-71 Blackbird, un avion militaire qui a atteint la vitesse record de 3 530 km/h.

L'AVION FURTIF

Le Lockheed F-117A Nighthawk a des formes particulières qui le rendent presque invisible aux radars. Cela le rend indétectable par l'ennemi la nuit. Le Nighthawk lance des missiles et lâche des bombes à guidage laser.

Aile en flèche *arrière.*

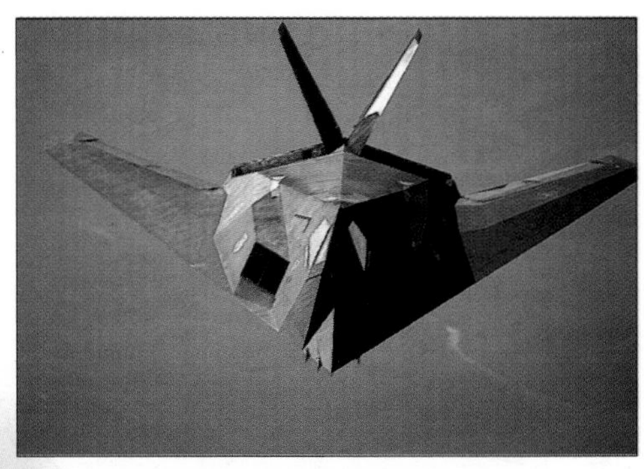

Un Lockheed F-117A Nighthawk.

POUR EN SAVOIR PLUS
LA COMMUNICATION : les ondes radio
L'HISTOIRE ANCIENNE : la guerre

Hélicoptères, planeurs et ULM

L'hélicoptère vole grâce à des lames rotatives qu'on appelle rotor. Il peut monter, descendre, avancer, reculer, voler de côté et faire du surplace. Le premier décollage d'hélicoptère eut lieu en France en 1907, mais ce n'est qu'à partir de 1939 que l'on utilisa régulièrement les hélicoptères. Leur créateur était un ingénieur d'origine russe, Igor Sikorsky, qui donne toujours son nom à certains hélicoptères modernes. Les ULM (ultraléger motorisé) et les planeurs sont presque exclusivement réservés aux loisirs.

Hélicoptère de sauvetage Sikorsky S-76.

Les pilotes expérimentés *peuvent faire du surplace même par grand vent.*

On envoie le harnais *grâce à un filin.*

Le sauveteur *attache la victime dans un harnais.*

VOL SANS MOTEUR

Les planeurs sont des avions légers qui volent sans moteur. Pour le décollage, ils sont tractés par une voiture au sol ou un avion à moteur. Les pilotes de planeurs savent exploiter les courants ascendants des masses d'air chaud qui les emportent avec eux. Ils passent d'un courant à l'autre pour rester en l'air.

Un planeur tracté lors du décollage.

SAUVETAGE AÉRIEN

L'hélicoptère est l'engin idéal pour les opérations de sauvetage. Il peut flotter au-dessus du lieu de l'accident et envoyer un harnais ou un sauveteur au secours des victimes, en mer, à la montagne, ou même sur le toit d'un immeuble. Les blessés sont hissés à bord. L'hélicoptère joue le rôle d'une ambulance volante.

Le rotor tourne *pour maintenir l'hélicoptère en vol.*

MINI-AVIONS

Un ULM est un petit avion très léger qui ressemble un peu à un cerf-volant à moteur. Ses roues lui permettent de décoller et d'atterrir comme un avion. Certains sont biplaces et peuvent voler à une vitesse de 160 km/h. La plupart sont fabriqués à partir de pièces de cerfs-volants.

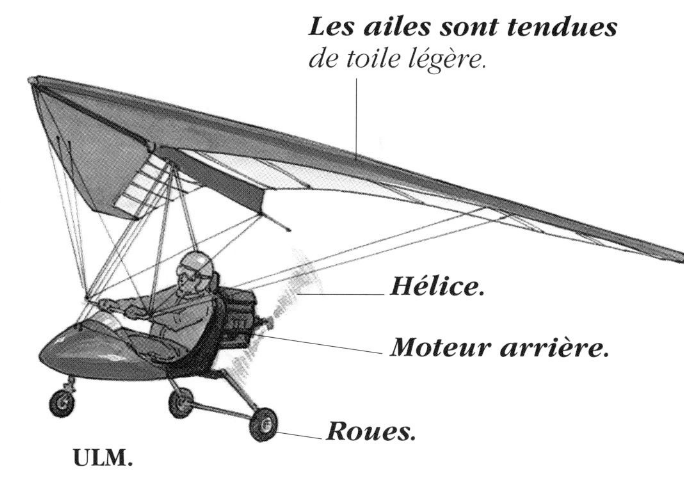

ULM.

Train d'atterrissage.

Le rotor de queue *empêche l'hélicoptère de se déséquilibrer.*

LE DELTAPLANE

En deltaplane, les pilotes sont attachés à un harnais suspendu sous une grande aile, qu'on appelle une voile. Pour décoller, les pilotes doivent courir face au vent sur une colline ou au bord d'une falaise. Grâce à la barre de commande et au poids du corps, ils peuvent diriger leur engin et suivre les courants ascendants qui les emportent dans les airs.

Voile de tissu synthétique.

Barre de commande.

Cadre d'aluminium.

Harnais.

Deltaplane.

C'EST INCROYABLE !

★ En 1972, Hans-Werner Grosse a effectué en planeur un vol d'une distance record de 1 460 km pour aller d'Allemagne en France.

POUR EN SAVOIR PLUS
LES MACHINES : les hélicoptères
LE SPORT : les sports d'aventure

Les trains à vapeur

Un train à vapeur est tiré par une locomotive qui brûle du charbon ou du bois afin de transformer l'eau en vapeur. Cette vapeur actionne les roues de la locomotive. Les premiers trains de voyageurs ont roulé en Angleterre dans les années 1820. Un vaste réseau de voies ferrées s'est bientôt construit dans le monde entier et de nouvelles villes ont prospéré près des gares. Cet âge d'or de la vapeur a duré une centaine d'années avant que les locomotives Diesel et électriques remplacent les anciennes machines.

TOUT EST DANS LES ROUES

La locomotive à bois américaine 4-4-0 a été construite en 1837 à Philadelphie. Son appellation 4-4-0 fait référence à la disposition des roues : 4 roues pour le bogie, suivies de 4 roues motrices, et pas de roues (0) sous la cabine.

Moteur *et chaudière.*

Le tender *contient le combustible, bois ou charbon.*

Cabine *du conducteur.*

Voitures.

Les 4 roues motrices *tournent grâce à des pistons actionnés par la vapeur de la chaudière.*

Le bogie *est un élément à 4 roues qui tourne et guide l'avant du train.*

Locomotive 4-4-0, vers 1850.

C'EST INCROYABLE !

★ **Le plus grand et le plus puissant de tous les trains à vapeur était le « Big Boys » américain (1941-1944), qui mesurait 40 m de long.**

Le nuage de fumée aspergeait les passagers de particules de suie lorsqu'ils se penchaient par la fenêtre.

De grosses cheminées retenaient les étincelles produites par la combustion du bois.

Lampe à huile.

Le chasse-bestiaux repousse les animaux ou les pierres égarés sur la voie.

Les premiers trains de voyageurs

Le *Locomotion* de George Stephenson allant de Stockton à Darlington en Angleterre en 1825 fut le premier train à assurer un service régulier de transport de passagers. Il roulait à 12 km/h. Le charbon et l'eau se trouvaient dans un wagon particulier appelé tender.

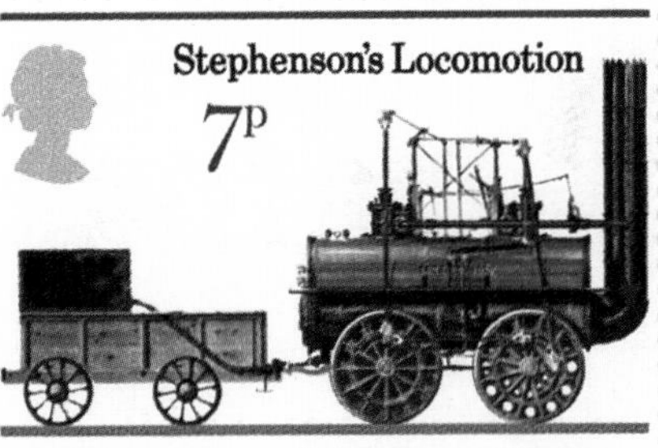

Timbre représentant le *Locomotion*, émis en 1975.

Le train à vapeur le plus rapide

En 1938, le train à vapeur Mallard, conçu par l'ingénieur sir Nigel Gresley, a battu le record de vitesse des trains à vapeur en atteignant 203 km/h. Ce record tient toujours. Le tender du Mallard contenait près de 16 000 litres d'eau et 8 tonnes de charbon.

Avant arrondi.

***Mallard*, 1938.**

Trains à vapeur en Asie

Les locomotives à vapeur sont toujours en fonction en Chine, en Inde et dans une grande partie de l'Asie. Dans ces pays, le train est le premier moyen de locomotion et les voitures sont souvent bondées.

Train à vapeur chinois, 1990.

Alimenter la chaudière était un dur travail pour les cheminots.

POUR EN SAVOIR PLUS
LES GRANDES INVENTIONS : la machine à vapeur
L'HISTOIRE ANCIENNE : la révolution industrielle

Le Transsibérien

Le plus long voyage possible sans changer de train nous fait traverser la Russie de bout en bout. Ce train, le Transsibérien, part de la capitale, Moscou, et traverse les plaines de Sibérie jusqu'à Vladivostok, sur la côte pacifique.

La construction de cette gigantesque voie ferrée a commencé en 1891. Dès 1900, les passagers pouvaient effectuer les 5 000 km pour aller jusqu'au lac Baïkal en train, mais ils devaient traverser le lac le plus profond du monde par bateau. En 1904, ils pouvaient contourner le lac par le nord de la Chine pour rejoindre la côte. Aujourd'hui, la ligne s'étend sur 9 297 km et ne quitte plus le territoire russe. Une autre branche relie Moscou à Pékin, la capitale de la Chine.

La gare Yaroslavsky à Moscou, en 1990.

LA GARE DE MOSCOU

Les passagers embarquent dans le Transsibérien à la gare Yaroslavsky de Moscou. Le train, composé de 13 voitures du Rossya Express, part tous les jours. Des trains de marchandises quittent la gare nuit et jour. Le Transsibérien marque 56 arrêts avant d'arriver à Vladivostok.

Moscou

Fenêtre *du conducteur.*
La boîte à fum *collecte la fumé avant qu'elle ne s'échappe pa la cheminée.*
Tender
Tampon.

Le Transsibérien traverse Krasnoïarsk, vers 1990.

LES PREMIÈRES EXPÉDITIONS

La Sibérie est une région désolée et dangereuse en hiver. La température tombe parfois en dessous de 58 °C et il y a souvent deux mètres de neige. Au début, le Transsibérien était souvent bloqué dans des congères.

Le mauvais temps pouvait retarder le Transsibérien de plusieurs jours.

LA DURÉE DU VOYAGE

Au début, le Transsibérien mettait au moins quinze jours pour accomplir le voyage de Moscou à Vladivostok. Aujourd'hui, avec les locomotives Diesel ou électriques, il ne faut plus que huit jours.

Une locomotive à vapeur tirant le Transsibérien, vers 1900.

Les passagers *du Transsibérien doivent manger et dormir dans le train pendant plusieurs jours d'affilée.*

La gare de Pékin, Chine, 1990.

LA BRANCHE CHINOISE

À partir du lac Baïkal, une branche du Transsibérien traverse la Mongolie et longe le désert de Gobi avant d'arriver à Pékin, en Chine. Le trajet Moscou-Pékin dure près de six jours, avec 46 arrêts.

POUR EN SAVOIR PLUS
L'ATLAS DU MONDE : la Russie
LES ENFANTS DU MONDE : la Russie

Les locomotives Diesel

Dans les années 1930, les locomotives Diesel commencèrent à remplacer les machines à vapeur. Elles brûlaient du gazole pour générer l'électricité qui activait les roues. Les locomotives Diesel étaient plus efficaces que les locomotives à vapeur et leur conduite était plus souple. Comme elles étaient également plus puissantes, elles étaient parfaites pour tirer les longs et lourds trains de marchandises. On les utilise encore aujourd'hui dans le monde entier.

LOCOMOTIVES ASIATIQUES

Robustes et fiables, les locomotives Diesel sont très utilisées au Japon pour le transport des passagers et des marchandises. Au début des années 1970, des locomotives rapides comme la DE desservaient toutes les lignes locales du pays.

Les ventilateurs *permettent de renouveler l'air dans les voitures.*

Locomotive Diesel DE10, 1970.

La cabine *surélevée donne une bonne visibilité.*

Ventilateur *de refroidissement.*

Phare.

LES TRAINS À GRANDE VITESSE

Le Zephyr de la compagnie Burlington Railway, aux États-Unis, était l'un des trains Diesel les plus rapides. En 1934, le Zephyr, tout en acier, couvrit une distance de 1 600 km de Denver à Chicago en tout juste 12 heures, la moitié du temps qu'aurait mis une locomotive ordinaire.

Cabine *du conducteur.*

L'acier rendait *la locomotive plus légère et plus rapide.*

Zephyr, **1930.**

C'EST INCROYABLE !

★ **Le train de marchandises le plus long est un train d'Afrique du Sud de 660 wagons, qui mesure 7 km.**

LA PUISSANCE F7

Les États-Unis sont à l'origine du succès du diesel. Le nombre de locomotives est passé de 300 en 1938 à 12 000 en 1950. La F7, de General Motors, qui tractait wagons de marchandises et de passagers, fut l'une des plus utilisées.

Un train de marchandises tiré par la F7 de General Motors, 1950.

Célèbre nez *de « bouledogue ».*

Les pousseurs *augmentent la puissance.*

GARE DE TRIAGE

Les trains de marchandises tirent des wagons qui contiennent toutes sortes de biens. À la gare de triage, on rassemble les différents wagons pour composer les trains qui se dirigent vers une destination particulière. Les wagons sont triés et orientés vers différentes voies, avant d'être attachés à une locomotive.

Gare de triage à New York, États-Unis.

PUISSANCE SUPPLÉMENTAIRE

On peut augmenter la puissance d'un train de marchandises en ajoutant des pousseurs, des locomotives sans conducteur. Les trains très longs peuvent comporter plusieurs pousseurs disséminés entre les wagons. Ils sont commandés par la locomotive principale, à l'avant.

Train de marchandises avec pousseurs en Afrique du Sud.

POUR EN SAVOIR PLUS
LES MACHINES : les moteurs Diesel
LES SCIENCES QUI NOUS ENTOURENT : l'huile

Les trains électriques

Les locomotives électriques, rapides et silencieuses, sont idéales pour tracter les trains express. Elles sont également utiles pour les liaisons interurbaines et le métropolitain souterrain, car elles ne produisent pas de fumée. Les voies électrisées ont besoin d'alimentation électrique à proximité, pour fournir de l'énergie. Les express interurbains, tels le Shikansen japonais ou le TGV, tirent leur alimentation de câbles aériens. Les métros souterrains sont alimentés par un troisième rail conducteur d'électricité, qui longe la voie.

C'EST INCROYABLE !

★ **Le métro de Londres est le plus vieux métro du monde. Il a ouvert ses portes en 1863 et possède aujourd'hui plus de 408 km de voies.**

LE SHIKANSEN JAPONAIS

Le train électrique japonais appelé Shikansen a roulé pour la première fois en 1964. Une voie rectiligne entre Tokyo et Osaka lui permettait de se déplacer très rapidement. Aujourd'hui, des millions de voyageurs fréquentent ces trains tous les jours pour se rendre à leur travail dans les grandes villes japonaises.

TRAINS FLOTTANTS

Dans l'avenir, certains trains fonctionneront grâce à un phénomène de sustentation (ou lévitation) magnétique. Ce « Maglev » n'aura pas de roues, mais flottera au-dessus d'un champ magnétique qui le propulsera vers l'avant. De tels trains expérimentaux existent déjà. Ils sont très confortables pour les passagers.

Le train *flotte à 10 cm au-dessus des rails.*

On place des aimants *sur le sol et sur les parois, le long de la voie.*

Le Maglev.

Les fauteuils *des voitures ressemblent à ceux des avions.*

Le Shikansen japonais.

LE TRAIN LE PLUS RAPIDE

Le TGV français, train à grande vitesse, est le train le plus rapide du monde. Lors d'essais, en 1990, il a atteint 550 km/h. En service normal, il roule à 300 km/h.

Le pantographe *transmet le courant de la caténaire au moteur.*

Le TGV français.

Les trains sont composés *de huit ou neuf voitures, avec une locomotive à chaque extrémité.*

LE MÉTRO JAPONAIS

À Tokyo, au Japon, 3 millions de voyageurs prennent le métro tous les jours. Des employés, les « pousseurs », ont pour fonction de tasser les gens à l'intérieur des voitures pour que les portes puissent se refermer.

Des pousseurs dans le métro japonais.

Son nez effilé *lui permet d'atteindre 272 km/h.*

Des paravents *réduisent les nuisances sonores.*

Ces rails spéciaux ne sont *utilisés que par le Shikansen.*

POUR EN SAVOIR PLUS
LES MACHINES : les foreuses de tunnel
LES SCIENCES QUI NOUS ENTOURENT : les aimants

Les transports combinés

Pour se déplacer dans les grandes villes, les citadins prennent le bus, le métro, la voiture… Avec des millions de voyageurs qui se déplacent en même temps, le système de transport doit intégrer tous ces différents moyens. Pour que la circulation reste fluide, les différents systèmes doivent être liés les uns aux autres et fonctionner en harmonie.

La voiture est la première cause des embouteillages et de la pollution urbaine. Dans l'avenir, les automobilistes seront peut-être obligés de laisser leur véhicule en dehors des villes et d'emprunter les transports publics pour se rendre dans le centre. Dans certaines villes, des billets combinés permettent déjà d'utiliser plusieurs types de transports, ce qui facilite le trajet.

TRAJETS URBAINS

De nombreuses villes ont des canaux ou des rivières qui les traversent, en plus des rues et des voies ferrées. Des autobus fluviaux pourraient parfois fournir un moyen de transport plus rapide que la route ou le rail. Les avions et les hélicoptères permettent d'aller d'une ville à l'autre.

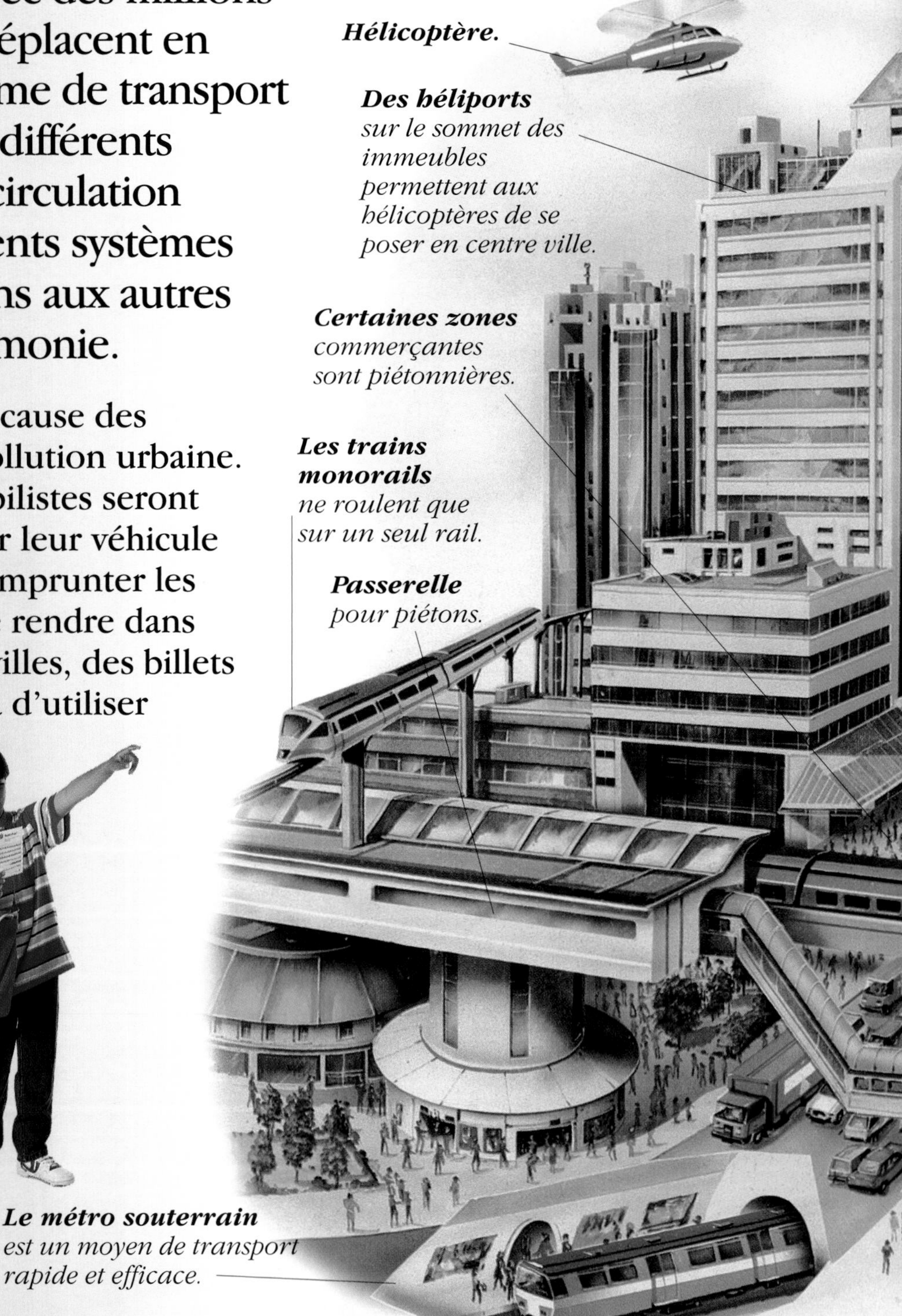

Hélicoptère.

Des héliports *sur le sommet des immeubles permettent aux hélicoptères de se poser en centre ville.*

Certaines zones *commerçantes sont piétonnières.*

Les trains monorails *ne roulent que sur un seul rail.*

Passerelle *pour piétons.*

Le métro souterrain *est un moyen de transport rapide et efficace.*

Un plan des transports urbains permet de retrouver son chemin dans les grandes villes.

LES PISTES CYCLABLES

Les pistes cyclables sont des voies de circulation réservées aux cyclistes. Ils pevent ainsi rouler en toute sécurité. Certaines villes possèdent une flotte de bicyclettes qu'elles mettent à la disposition des habitants.

Rouler à bicyclette.

Le bus fluvial *traverse la ville sur les voies d'eau.*

Avion.

Des voies *sont réservées aux bus et aux taxis.*

Dans certaines *villes, les voies ferrées passent au-dessus des rues.*

Les tramways *se déplacent sur rail.*

Autobus.

Piste cyclable.

Système de transport urbain intégré.

CONTRÔLER LA CIRCULATION

Aux heures de pointe, il y a souvent des embouteillages. Le centre de contrôle de la circulation routière régule la circulation et tente de les limiter. Aux carrefours, les feux de signalisation indiquent aux conducteurs à quel moment il faut s'arrêter ou passer. Les panneaux leur indiquent quelle voie ils doivent emprunter et les avertissent d'un danger éventuel.

Centre de contrôle de la circulation, à Tokyo.

POUR EN SAVOIR PLUS
LES ENFANTS DU MONDE : les villes
LA COMMUNICATION : les feux de signalisation

Glossaire des mots-clés

Accélérateur : pédale ou poignée qui permet d'augmenter la vitesse d'un véhicule.

Aérodynamique : forme étudiée pour qu'un véhicule se déplace plus rapidement, en offrant le moins de résistance possible à l'air ou à l'eau, pour économiser le carburant.

Airbag : coussin d'air qui se gonfle en cas d'accident de voiture. Il protège le chauffeur et les passagers et évite de graves blessures.

Amphibie : capable de se déplacer sur terre comme sur l'eau.

Assembler : fixer ensemble certaines pièces pour fabriquer un objet, tel qu'un avion ou une voiture.

Ballast : matériel lourd utilisé pour assurer la stabilité ou contrôler le poids d'un ballon. Dans les sous-marins, les ballasts aident le navire à plonger.

Biplan : avion avec deux ailes de chaque côté, l'une au-dessus de l'autre.

Canot de sauvetage : embarcation conçue pour sauver passagers et équipage en cas d'urgence. Les navires et les gros bateaux ont tous des canots de sauvetage sur le pont.

Carburant : substance, telle que l'essence ou le gazole, qu'on brûle pour fournir de la chaleur ou de l'énergie.

Cargaison : marchandises transportées par un bateau, un camion ou un autre véhicule.

Cargo : bateau destiné au transport des marchandises.

Ceinture de sécurité : lanière qui maintient le passager attaché sur son siège dans un avion ou une voiture et le protège en cas d'accident.

Chaîne de montage : tapis qui transporte certains objets dans une usine afin que les ouvriers puissent les monter pièce par pièce.

Cockpit : habitacle fermé à l'avant d'un avion où se tiennent le pilote et le co-pilote pour commander l'appareil.

Diesel : moteur alimenté avec du gazole. Il équipe certaines locomotives, des camions ou des bateaux.

Énergie : capacité à produire un travail ou un mouvement. L'énergie qui fait fonctionner les voitures ou les avions provient de la combustion d'un carburant.

Envergure : distance qui sépare les deux extrémités des ailes d'un bateau (ou d'un oiseau).

Étanche : qui ne laisse pas passer l'eau.

Ferry : bateau qui transporte régulièrement des passagers et des véhicules d'un endroit à un autre en traversant un lac ou la mer.

Galion : grand bateau de bois utilisé en Europe du XVe au XVIIe siècles.

Glisseur : (aéroglisseur ou hydroglisseur) bateau qui navigue en restant à la surface de l'eau.

Gros-porteur : avion à réaction capable de transporter de très nombreux passagers.

Hélice : série de lames qui propulsent un bateau dans l'eau ou un avion dans les airs.

Héliport : espace d'atterrissage pour les hélicoptères.

Hydravion : avion qui peut atterrir ou décoller sur l'eau grâce à des flotteurs. Un hydravion n'est pas un véritable véhicule amphibie car il ne se déplace pas sur l'eau.

Ingénieur : spécialiste qui construit des machines ou des structures compliquées comme les moteurs ou les ponts.

Maglev : train expérimental, qui utilise l'énergie magnétique pour se déplacer. Un phénomène de lévitation le maintient à quelques centimètres du sol, ce qui le rend très confortable.

Mât d'artimon : le mât arrière d'un bateau à trois mâts ou plus.

Moteur : machine qui transforme la chaleur en énergie.

Mur du son : onde de choc que subit un véhicule qui se déplace plus vite que la vitesse du son. Cette onde de choc produit un bruit d'explosion que l'on entend parfois lorsque des avions passent au-dessus de nos têtes.

Navette : véhicule, train ou bateau qui fait l'aller et retour entre deux destinations.

Périscope : tube où des miroirs sont disposés de telle façon qu'un sous-marin puisse voir ce qui se passe à la surface de l'eau.

Pétrolier : immense bateau qui transporte du pétrole.

Planeur : avion qui vole sans moteur.

Pousse-pousse : petit véhicule à deux ou trois roues tiré par une ou deux personnes qui sert de taxi dans les pays asiatiques.

Pousseur : sorte de locomotive sans chauffeur. On ajoute des pousseurs dans les trains longs pour augmenter la puissance et la vitesse de la locomotive.

Radar : système de détection qui utilise les ondes radio pour repérer les objets.

Réacteur : moteur d'avion ou de certaines voitures très particulières qui propulse le véhicule grâce à un jet d'air chaud et de gaz qui se dégage à l'arrière de l'appareil.

Supersonique : qui se déplace plus vite que la vitesse du son.

Train express : train rapide qui ne s'arrête pas à toutes les gares.

ULM : ou ultraléger motorisé. Petit avion muni d'un moteur, avec un habitacle ouvert. En plus du pilote, certains accueillent aussi un passager. Parfois, ils servent de guides aux oies migratrices.

Véhicule : machine construite pour transporter des personnes ou des marchandises d'un endroit à un autre, telles que voitures, camions, avions ou bateaux.

Index

Remerciements

AUTEURS
Neil Morris

TRADUCTION FRANÇAISE
Évelyne Châtelain

CONSULTANT POUR LES TRANSPORTS
Nigel Hawkes, MA (Hons), est rédacteur scientifique du journal « The Times », en Angleterre. Il a été journaliste pour le « Science Journal », le magazine « Daily Telegraph » et « l'Observer », et a écrit et publié de nombreux ouvrages scientifiques pour enfants, concernant les ordinateurs, les transports et l'ingénierie.

CONSEILLERS ÉDUCATIFS
Lois Eskin, BSc, conseillère en édition, spécialisée dans l'organisation, la recherche et la programmation d'ouvrages éducatifs.
Kurt W. Fischer, PhD, professeur à la Harvard Graduate School of Education.

CONSEILLERS INTERNATIONAUX
Pamela Katherina Decho, BA (Hns), conseillère éditoriale pour l'Amérique latine.
Zahara Wan, conseiller éditorial pour l'Asie du Sud-Est.
Mighua Zhao, PhD, MSc, MA, BA, conseiller éditorial pour la Chine et l'Asie de l'Est.

ILLUSTRATEURS
Bob Corley, Bill Donohoe, Chris Forsey, Kevin Maddison, Mike Saunders, Roger Stewart, Chris Taylor, Graham White, Paul Wright. Mise en couleur Disney : Neil Rigby.
Encrage Disney : Alessandro Zemolin

DIRECTION ARTISTIQUE DISNEY POUR CET OUVRAGE
Benoît Bayart
Remerciements particuliers à Michael Horowitz et Carson Van Osten

PHOTOGRAPHIES D'AGENCES
11l, 24, 27, 41 UPI/Corbis-Bettmann, 11r Mary Evans Picture Library ; 13t Corbis, 13c Volkswagen Press ; 14 Liba Taylor/Corbis ; 15 David Taylor/Allsport ; 16 Rex Features ; 18 Bennett Dean ; Eye Ubiquitous/Corbis ; 21 Corbis/Craig Lovell ; 23 Nigel Rolstone ; Cordaiy Photo Library Ltd/Corbis ; 25 Princess Cruises Ltd ; 31t Paul V.Riel/Robert Harding Picture Library, 31b Dean Conger/Corbis ; 33 The Purcell Team/Corbis ; 38 Museum of Flight/Corbis ; 43 The Stock Market/ZEFA ; 44 Austin J. Brown/Aviation Picture Library ; 47t Reproduced by kind permission of Royal Mail, 47b Corbis/Collin Garrat ;Milepost 921/2 ; 48t Hulton-Deutsch Collection/ Corbis, 48b Philip Robinson/John Massey Stewart ; 49 The Purcell Team/Corbis ; 51l Robert Harding Picture Library, 51r Walter Rawlings/Robert Harding Picture Library ; 53 Michael Jenner/Robert Harding Picture Library ; 55 Roger Ressmeyer/Corbis

PHOTOGRAPHIES D'ENFANTS
Ray Moller

DIRECTEUR DE PROJET - DISNEY
Remerciements particuliers à Cally Chambers

天下太